他人を見下す若者たち

速水敏彦

講談社現代新書

1827

はじめに

日本人の感情・やる気が変わった

人間社会で諍《いさか》いが生じるのは古今東西変わることがないが、最近ではなぜそんな小さなことが大きな事件に発展するのかと首を傾《かし》げるようなことが、あまりにも多い気がしてならない。些細《ささい》なしぐさや語り方が相手の感情をひどく傷つけ、憎悪や怒りを掻《か》き立て、思いもよらない行為に走らせる。また他人同士の対立だけでなく、夫婦間の対立も多く、離婚率は年ごとに増加している。さらには、昔は最も自然なことと考えられていた親子間の深い愛情関係すら否定されるような残虐な事件も生じている。このようなニュースに接していると、日本国じゅうに怒りが渦巻いているような気がしてくる。

一方で、学びも働きもしないし、職業訓練も受けようとしないニートが増加している。また、子どもの学力低下が指摘され、覇気《はき》のない日本の若者像に落胆し、日本の将来を憂える人が少なくない。

このような世の中の動きを左右している人間の感情や「やる気」(意欲・動機づけ)のあり方が今、大きく変わろうとしているのではないか。そういう思いが本書を書くきっかけである。

感情ややる気は人間の本質的なものであり、いにしえの昔から、いや人類が地球に出現して以来、誰もが同じように喜びや悲しみを体験してきたし、やる気があったからこそ生きのびてきた。それゆえ、歴史を超え、人種を超え、貧富を超え、感情ややる気は人間に普遍だという見方もあろう。

しかし、よく眺めてみれば、日本人の間では、感情ややる気の量も質も時代とともに微妙に変化してきているのではなかろうか。われわれの日常生活に目を転じてみても、親と子、子と孫のような世代の違いによって、同じテレビドラマを見ていても笑うところが違っていたり、感動の強さが異なることはよくあることである。なぜ、そのようなことが生じているのだろうか。その変化の最も根源的な要因はどのようなものなのだろうか。それが本書で追究するテーマである。

新しい時代の変化の影響を最も敏感に受けるのは若者たちなので、本書でも若者の事例や研究例を中心に提示していくが、戦後の日本の文化そのものが日本人の感情ややる気を大きく変動させてきたとも考えられ、現在の大人を対象にした事例や考察も加えていく。

本書では、まず、現代の人間の感情ややる気の持ち方にどのような特徴があるかを探るところから始めたい。「キレる」という言葉が今では日常的に使われるように、現代の若者たちはちょっとしたことで怒りを露わにするようになった。若者だけではない。中年以上の人たちの間でも満員電車で肩が触れた、触れないで大喧嘩になるような昨今である。一方、めそめそしているようなことは嫌われるようになった。悲しみに沈む人間を暗いと一喝し、ポジティブ思考を求める傾向も強い。やる気、動機づけについては若い人たちの無気力化が叫ばれて久しいが、大人社会でも最近は役職を目指して奮闘努力するタイプが減少したと言われている。

若者、負け組の「他者軽視」

しかし、本書で筆者が最も明らかにしたいことは、現代の感情ややる気の変化の背後にある心性とでも言うべきものを突き止めることにある。現代の日本人は自由な社会を当たり前のこととして誰も彼もが横行闊歩《おうこうかっぽ》しているように見える。その自由さは利己主義を強め、「ジコチュウ」という言葉も生まれた。これが高じれば、人は自分の立場ばかりを見て、他人の立場を見なくなる。つまり以前に比べて人々は他人を見下し、他者軽視・軽蔑をいとも簡単にするようになる。この他者との関係の捉え方が自分自身の捉え方にも影響を及ぼし、さまざまな出来事の際に生じる感情ややる気のあり方そのものを規定するのではないか、というのが筆者の仮説である。

今、人と人との親密なつながりが失われつつある現実の中で、誰もが体面を保ち、個を主張して生きていくことが求められている。だが、少子化の影響で小さい頃から大切に育てられ、苦労をせず、楽しいこと、面白いことに浸ってきた若者にとって、見知らぬ社会を一人だけで歩いていくことは恐怖でもある。欲しいものを何でも買い与えられ、有りあまる時間を自分のためだけに使ってきた人たちが、厳しい現実の競争社会の中でまともに生きていくことは難しい課題である。

しかし、実は彼らはそれを乗り越える術《すべ》をいつのまにか修得してきたようにも見える。それは、おそらく本人自身もあまり気づいていない無意識的なもので、個人主義文化を担った人たち、さらには、ITメディアの影響を受けた人たちがいつのまにか身につけた**仮想的有能感**とでも呼ぶべきものである。これは先ほど述べた他者軽視をする行動や認知に伴って、瞬時に本人が感じる「自分は他人に比べてエライ、有能だ」という習慣的な感覚である。

現代人は自分の体面を保つために、周囲の見知らぬ他者の能力や実力を、いとも簡単に否定する。世間の連中はつまらない奴らだ、とるに足らぬ奴らだという感覚をいつのまにか自分の身に染み込ませているように思われる。そのような他者軽視をすることで、彼らは自分への肯定感を獲得することが可能になる。一時的にせよ、自分に対する誇りを味わうことができる。

このように若者を中心として、現代人の多くが他者を見下したり軽視することで、無意識的に自分の価値や能力に対する評価を保持したり、高めようとしているように思われる。しかし、この仮想的有能感はやっかいな代物である。現実には、特に負け組になりそうな人々が生き抜くためには必須の所持品ではあるが、他者軽視をすることで、社会にさまざまな弊害を生じさせることが懸念されるからである。

仮想的有能感は、他者をどう見るかという一つの他者評価を基盤にしたものである。他者の能力を低く見るほど自分の能力の自己評価を吊り上げることになる。しかし、これは自分の過去経験にはまったく左右されない思い込みの自己評価と言える。他方、自分の過去経験に規定された自己評価の概念として**自尊感情**がある。自尊感情は自分への満足感や自信を意味するものである。

そこで、この類似しているように見えて実際には異なる、他者軽視に基づく仮想的有能感と自尊感情の組み合わせから、有能感の四つのタイプを提示する。これにより、仮想的有能感の高い人の中でも、自分に満足していないで仮想的有能感を持つ仮想型タイプ、自分に満足しながら仮想的有能感を持つ全能型タイプといったものを区分可能にする。さらにさまざまな年齢層にこのモデルを適用することで、現代の文化の影響を最も色濃く受けていると考えられる若者には、どのようなタイプの有能感が多いのかを明らかにする。

現代人への警告として

最後に、最近の人々の感情ややる気の変調が、仮想的有能感から発しているものであることを説明し、これからの感情ややる気のあり方について考える。感情については、中心的にはネガティブな「怒り」や「悲しみ」をとりあげるが、ポジティブな「喜び」や「笑い」の感情と仮想的有能感の関係についても言及する。ただし、両者の関係を考えていくと、一口に「怒り」「悲しみ」といっても質的に異なるものが並存していることに気づくことになる。仮想的有能感が全体的に怒りを高めるとかいうような単純なものではなく、ある種類あるいはある状況の怒りは仮想的有能感により促進され、別の種類あるいは状況の怒りはそれにより抑制されるというようなことになる。仮想的有能感と感情ややる気との関係について一部は実証的データをもとに述べることができるが、まだ筆者の洞察によって述べている部分も多いことはお断りしておきたい。

「仮想的有能感」は現代人の心の中にいつのまにか潜んでしまったもので、気づかずにいると取り返しのつかないことになるという危機感を筆者は感じている。そして、なんら気にすることなく、われわれが同じような生活を持続していけば、社会・文化の自然の流れとして現代人の心の中に「仮想的有能感」はどんどん繁殖していくであろう。

本書から「仮想的有能感」の存在に気づいていただき、それにわれわれが今後どう対処していったらよいかを考えていただく機会になれば望外の幸せである。

目次

第一章——感情が変わった

子どもの感情の変化

最近の若者の奇異な行動は、彼らの感情の持ち方が以前の若者と変わってきたことに連動していよう。しかし、どのように変化したかを確かめることはむずかしい。過去の人間が感じた感情を拾い集めて現在のそれと比較する、客観的かつ妥当な方法はない。

そこで、それに代わる方法として、ベテランの先生（教師）に、現在教室で目の前にしている子どもたちと、新任の頃対面していた子どもたちの、感情の持ち方、表現の違いについて尋ねることにした。現在の時点から過去を想起するという点で、過去の姿が何らかの要因で変容することがありうること、先生たちが担当した学区、学年等で当然異なる印象が生じやすいことなど、問題は多いが、語る先生の人数をある程度集めることで、大まかな変化の方向は知ることができる。

この面接は、愛知県K市の小学校の先生三六名、中学校の先生三二名が参加して行われた。学校数は小学校六校、中学校六校であり、それぞれの学校で数人の集団での面接が実施された。中心となる質問としては、今の子どもは昔の子どもに比べて、どのように感情の持ち方が変わったか、さらに、感情表現がどのように変わったか、というものであった。

そして面接に入る前に質問紙によって、「怒り」「悲しみ」「喜び」「恐れ」「驚き」「面白さ」に関して、今の子どもと昔の子どもと、どちらがそのような感情を持ちやすいか、さらに表出しやすいかを、五段階で評定してもらった（1．今の子どもの方が少ない　2．どちらかといえば今の子どもの方が少ない　3．同じ　4．どちらかといえば今の子どもの方が多い　5．今の子どもの方が多い）。

その結果先生たちは、「怒り」に関しては、今の子どもたちの方が、二〇〜三〇年前の子どもたちよりも感じることが多くなり、表出も多くなったと見ていた。他方、「悲しみ」「喜び」「恐れ」「驚き」「面白さ」に関しては、以前に比べて感じにくく、表出も少なくなっていると見ていることがわかった（次ページの図1－1a、図1－1b参照）。以下はその時の面接結果をまとめたものである（「子どもたちの感情はどのように変化してきたか―教師の目からみた特徴―」名古屋大学大学院教育発達科学研究科紀要、心理発達科学、四九巻）。

頻繁に「怒り」を感じ、表出する子どもたち

「今の子はすぐに怒る」という見方が、多くの先生から出された。しかし、それはすべての子どもがすぐに怒るというわけではなく、極端に怒りやすい子どもの数が多くなったということのようである。また、『むかつく』『最悪だ』というような言葉で、怒りの心情を

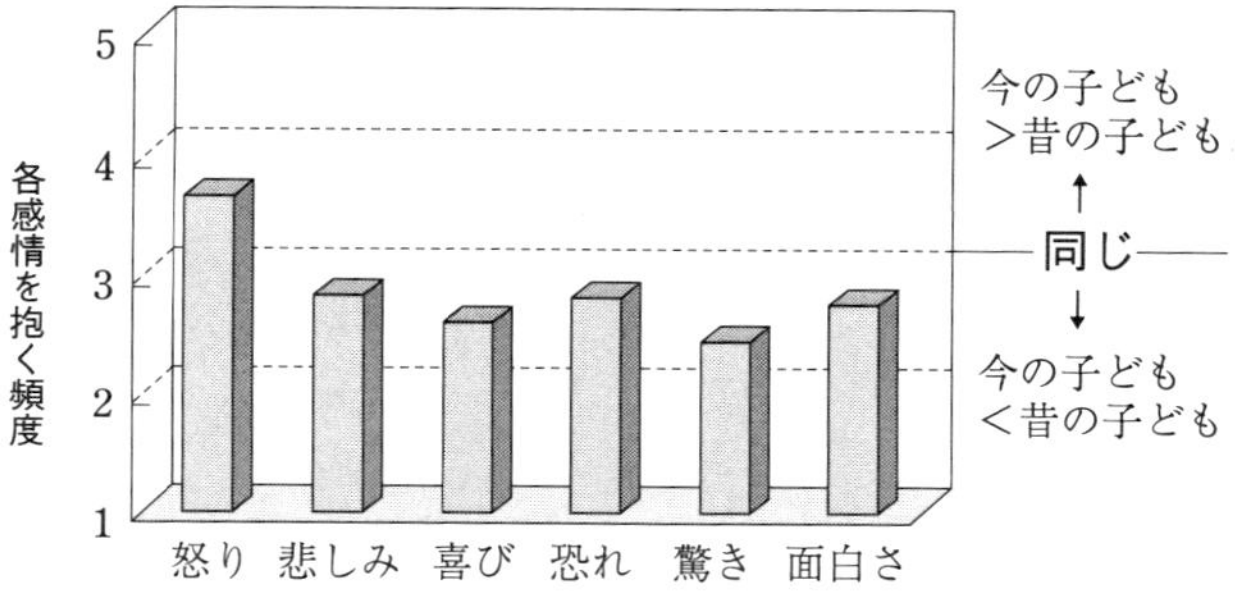

図 1-1a　今の子どもと昔の子どもを比べた各感情を抱く頻度

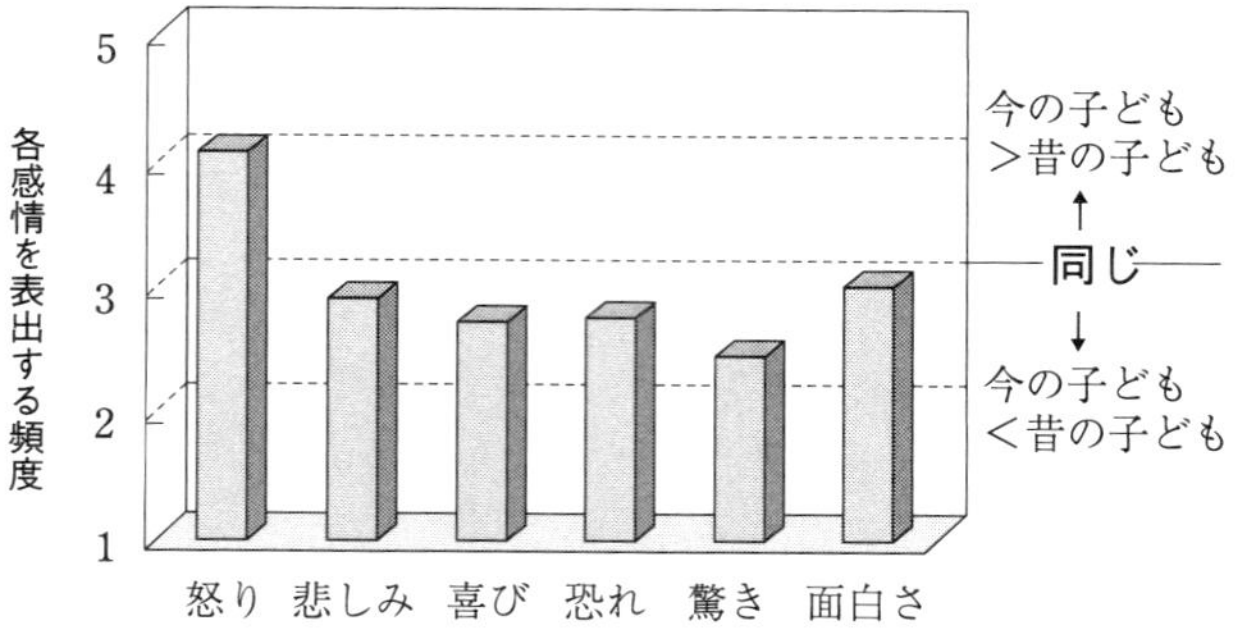

図 1-1b　今の子どもと昔の子どもを比べた各感情を表出する頻度

しばしば表現するという。具体的に先生に対する怒りとしては、「用件をいきなり言って、それに先生が反応できない場合、『シカトかよ』と言って怒る」「明日は水泳をするから水着を持ってくるように言っておいて、当日都合で中止すると、『先生が言ったから持ってきたのに損をした』という調子で怒る」などである。

その背景として、今の子どもの「常に自己中心でありたい」「子どもが王様のようになってきた」「気持ちが不安定」「我慢ができない」「セルフコントロールができない」「忍耐力がない」などの特質があるという。

怒りの感情表出としては「机や壁をける、物にあたる」「椅子をもちあげる」「すぐ手が出る」「『ぶっ殺してやる』と平気で言う」「『ウザい』と言って話を聞こうとしない」などがある。このような怒りに対して先生が注意した場合に「自分だけが怒られているという被害妄想がある」ので反発を招くことが多いようである。

子ども同士の場合、怒りの方向としては一方向的であり、表現が屈折しているという。「怒りがぶつかりあうことは、少なくなった。どちらかが一方的に怒って仕掛けて、相手が泣く」「関係が壊れるのが怖くて、ぶつかろうとしない。でも怒りの感情をどう出していいかわからない。だから、物を隠す、仲間外れにするなど、陰でかなり陰湿なことをする」等の発言からそれが裏付けられる。

また先生たちは、その子どもの怒りが「それが個性で片づけられてしまう」「人と違うところを良さと思っている」と、怒りに対して子どもたち自身が拒否的でないことを懸念している。

「悲しみ」にくく、「喜び」にくい子どもたち

一方、同じ負の感情の中でも、「悲しみ」に関しては、今の子どもはあまり抱かないと見ている先生が比較的多いことが、以下のような陳述でわかる。「昔の子どもはペンや眼鏡、お金を落としただけでも、悲しがった。それは物が簡単に手に入らなかったことと関係がある。しかし、今の子どもは、代わりがすぐに手に入るから、悲しまない」「試合に負けても、表面的な悲しみですぐに立ち直る」「今の子は、運動競技大会の結果が出た後の感情が淡泊、昔は負けたら泣いたり落ち込んだりした。今は冷めている。これは勝った場合の喜びの大きさにも言える」「成績が悪くても、悲しまない。通知表を見せあう」などである。多くは物質的喪失でなく、心理的喪失あるいは目標に達成できなかったことに関わるものであるが、達成すべきことへの関与が弱過ぎたり十分な努力をしていなかったため、感情反応が少ないのかもしれない。

「エイズ教育に『マイ・フレンド・フォーエバー』という悲しい映画を見せた。以前の子

どもは泣いていたが、今の子どもはしらけている」という。これは今の子どもたちが映像の主人公と同じ気持ちになれない、共感できないということかもしれない。「悲しいこと、泣いたことを書かせると、今の子どもは、ずいぶん記憶をさかのぼらないと書けない」「以前の一年生は皆の前で本読みをするとき、読めなくて泣いていたが、今の一年生は泣かない」「卒業式に泣く子が減ってきた」、このように、生理的に涙を流すこと自体が、減少しているという。

しかし、逆の見方をする先生たちも若干いた。「今の子どもは、悲しみや恐れは多い。少しのことで悩んだり、友人ができないといったことを先生に訴えてくる。こうして欲しいのに、皆がしてくれない、と被害者的にとらえている、悲しみを隠す子も少しはいるが、一般に表出しやすくなっている」「表現しやすい雰囲気になった。しかし、押さえ込んで、うまく表現できない子どもも増えてきた」

一方、悲しみの感情を表出するにしろ、しないにしろ、今の子どもは集団規範をずいぶん気にしてその判断をしているとの感想も見られた。「ここで悲しまなかったら友人ではないと思っている」「皆の前で自分が外れた感情を示すのではないかと思って表に出さない」

そして「怒りは自然に出てくるものだが、悲しみは生活体験、想像力がないと持てない」、また「悲しまずに責任転嫁するからがんばれない」などの、悲しみという感情の特徴に言及した感想も述べられた。

さて、悲しみが減少したからといって、悲しみの対極にあると想定される喜びが増大したわけではない。「喜び」の感情に関しても、相対的にはあまり感じなくなっており、表出も少なくなっていると述べる先生が多く見られた。「喜ぶのは体育大会や合唱コンクールで賞をとったとき、それも周りの目を気にしてあまり大げさに喜ぶことはしない。うれしがるようなことを言ってもあまり喜ばない」「昔は調理実習で作ったものは、どのようなものができても、おいしいと言って食べたが、今の子はまずいと言って捨ててしまう。自分たちで作ったという喜びを感じていない」「ゲームで勝ったときに喜ぶ。しかし、盛り上がることが少ない。冷めている」「水泳大会で勝ったとき、喜びが持続しない、すぐに冷める」「勝っても本当はうれしくないのではないか。心から喜びが出るのは、背後に苦労があるから。本当に感動しているわけではない」「『やった』としか言わない、喜びの表現が同じ、体で表現するのは苦手」

一方、子どもの喜びの感情が感じられる場合も指摘された。「認めてもらえるとき喜ぶ、その経験がないから、薄っぺらな同情でも喜ぶ」「少し褒めてやると喜ぶ。しかし、昔の方が反応は素直。今の子は周りを気にして喜べないから、個人名を出さずに褒めている。それだと素直に喜んでいる」「白々しいと思えるような褒め方をしても、心の寂しい子

（怒りを表出する子）は高学年でも喜ぶ。心が満ち足りている子は喜ばない」「喜ぶのは、誰かが失敗したとき」

表出されない感情

だが、今の子どもたちは、たとえ内面的に喜びの感情が芽生えても、それを抑制しているとの指摘も多く述べられた。「感情に規制をかけている。例えば、ディベートをやらせたとき、勝った班のリーダーは、『喜ぶのは負けた子に失礼だからやめよう』と言った。大人が子どもの感情をコントロールしすぎて、だめにしてしまっている」「年齢が上がるにしたがって、感情を出さない。しかし、例えばこんなことがあった。学級通信で名指しでほめたとき、子どもから私への反応はなかったが、その通信が母親の目に留まるように家の机の上に出してあったようで、親からの知らせで、本当はうれしかったと知った」「私（先生）がうれしがっていたら、子どもから『大人げない』と言われたことがあった。本当は、子どもは喜んでいることもあるが、素直に表せないようだ」

このように子どもは言葉や表情で喜びを表現するのを抑制するようだが、文章には表現しやすいという。「文章にならば素直に書く。表情には出さない」「水泳指導で褒められたことを日記に書いてきた。感じる心は持っているが、高学年になると出さない」

先生によりさまざまな見方があるが、総じて喜びも悲しみも減少していると推測される。ただしそれが、本当にそのような感情が減少したのか、あるいは感じていても単に表出の段階で抑制されるのかは、定かでない。

恐れ、驚き、面白さ

怒り、悲しみ、喜びの感情だけでなく、他の感情の変化についてもさまざまな意見が出された。しかし、これも以下に挙げるように、概して減少傾向にあるという見方が示された。

まず、「恐れ」に関しては、「恐れの感情が少なくなってきた。闇の恐さ、死の恐怖をあまり感じなくなった。家の中が真っ暗になることはないし、テレビでもゲームでも死をアクションとしてよく目にしているし、それを簡単にリセットできるから」「恐さ、恐れが少なくなっている。恐いもの知らず、世の中がそうなってきた。自然など大きなものに対する脅威がなくなってきた」「今の子は何も恐くない。昔は先生、父親が恐いと言っていたが、今の子は警察まで恐くない。大人が子どもを叱らないためだろう」「親・先生への恐れは抱きにくい。遠慮がない、失礼なことを失礼だと思っていない」「日常生活における規範に対する恐れがない」

右記の陳述は、最近の子どもたちが、恐れを抱きにくいという見解だが、別の見方もある。「友人、先生の顔色をうかがう。周りにあわせておかないと心配と言う子は多い。これも恐れではないか」「自己防衛的な恐れは強まっている。特に女子は友人関係でいかに自分を守るかに心の大半を費やしている」「プライドが高くて、失敗を恐れる。完全にやれることしかやらない」「低学年でも女の子は挙手をしない。能力は男子より優れているが、どう思われるかを気にしている」

次に、「驚き」という感情については、知的場面での驚きに限定されたもので、好奇心についての発言が大部分であった。だが、この感情についても、あまり感じていない、表出もしていないとする見方に要約される。「ゲームやテレビを見て体感しているから、よほどでないと驚かない」「情報が溢れているので、面白がらない。昔は先生が筋道を立てて話をすると驚いたが、今は既に塾で教えてもらっている」「以前、中一は英語の授業中、生き生きとして活気に溢れていたが、小学校から英語を習っている今の中一は、新鮮味を感じていない」「知的好奇心を感じるのは、限られた子、知識のある子であり、その割合が少なくなってきた」「昔は手品をすると、その種を教えてほしがったが、今の子は『ふーん』と言って通り過ぎてしまう。好奇心はない。食らいついてくるということがない。飽食の裏返しか」「知的好奇心を外へ出すのを抑える。知識が豊富な子がいるからその程度のことを言っても馬鹿にされると思っている」

さらに「面白さ」という感情の変化については、「特に表面的な面白さ（くだらない洒落《しゃれ》、おかしな顔、恰好《かっこう》）にはすぐに反応する」「子どもが面白いと感じるのは、バラエティ番組と同じ。そのような場面が出てくれば笑っている」「CMのパクリで笑わせる」「人を信頼する、人のためということが根底にあるのではなく、面白さ、冗談半分ということが先行している」。これらはいずれも、今の子どもたちが、軽くて表面的な面白さに反応しやすいことを指摘している。

一方、笑いが少なくなったことを、示唆する発言もあった。また、先生側が面白いと感じる内容と、子どもが面白いと感じる内容にはズレが生じているらしい。「われわれが面白いと思うことには、しらけている」「クラス全体で笑うことは少ない。子どもの面白いと感じることが変わってきたのか」「高学年は先生のダジャレに『さむい』と言う」「ジョークより失敗で笑ってもらっている」

感情日誌から見た若者の日常的感情

次に中学生および大学生自身が報告した日常的感情の実態について述べる。ここで用いられたのは感情日誌と呼ばれるものである。感情日誌とは簡単なもので、B４の半紙上に、行は喜び、怒り、悲しみの三つの感情に区切り、列は六時から午前〇時までの時間が記され、罫線が引かれているものだった。中学生は三種類の感情が生まれた場合、およその時間帯の箇所に、なぜ、そのような感情が生じたのか、を記述するように求められた。記述するのはその都度が望ましいが、授業中に感情が生じることもあり、一日の終わりでもよいことにした。

まず、中学生自身が、自分の生活の中で見つめた感情に、注目してみよう。公立中学三校、合計九クラスの二年生二四七名に連続二日間、感情日誌をつけてもらった（「中学生はなぜ怒り、悲しみ、喜ぶのか――感情日誌を用いて――」名古屋大学教育学部紀要、心理学、四六巻）。

しかし、書くことの面倒さからか、全体としては一日の記述数の平均が数個であった。また、そのような心理的負荷のためか、一日目よりも二日目の記述数は減少した。三つの感情の中では、両日とも喜びが最も多く、次に怒り、最も少ないのが悲しみの感情についての記述であった点は多くの生徒で共通していた。

次に、感情日誌をつける意欲のあまりない子どもたちのデータを用いて分析するのは、現実の中学生の感情の様相を十分反映したものにならないと考え、感情日誌をつける意欲が十分であったと思われる、一日目、あるいは二日目に一〇件以上の記述が見られた四八名だけのデータを分析した。

中学生の喜び、怒り、悲しみ

まず、三つの感情についての記述数の平均を見たところ、頻度については喜び、怒り、悲しみの順であった。また、その二日間の三つの感情の生起頻度の一貫性を見た。これによると、二日間それぞれ感情生起の一貫性は喜びが最も高く、怒りが最も低かった。つまり、喜びが多い人は二日とも喜びが多いが、怒りの多少は同じ人でも日によって変化しやすいと言える。

次に、異なる感情間の関係、すなわち怒り—悲しみ、悲しみ—喜び、喜び—怒りの相互相関から見ると、一日目と二日目では多少結果は異なるが、興味深いことにネガティブな感情同士である怒り—悲しみよりも、悲しみ—喜びの相関の方が高い傾向にあった。喜びを感じやすい人は悲しみも感じやすいということがわかった。

さらに一日を朝（六時—一二時）、昼（一二時—一八時）、夜（一八時—〇時）に分けて見てみると、家庭生活が中心となり比較的リラックスすると考えられる夜では、どの感情の生起数も相対的に低かった。学校で集団生活をしている間の方が、刺激も多く、心理的にも緊張しているためか、多様な感情を持ちやすいと言える。

次に、なぜそれぞれの感情が生じたかの原因について分析したところ、喜びでは、生理的満足（食欲などが満たされた場合）、能動的達成（自ら働きかけた結果としての喜び）、脱日常（通常と違うことが発生した場合、例えば、予定されていた授業がなくなった場合)、能動的親和(みんなと仲良くやっていこうと努力して、うまくいって喜びを感じる)、趣味・娯楽・遊び(趣味や娯楽に興じる場合)等であった。

怒りの原因に関しては人間関係が中心で、最も多いのが仲間の言動(同輩、先輩、後輩等仲間の言動)、次に、家族の言動、先生の言動の順であった。しかし、他に原因として社会規範(社会的なきまりに対する怒り)、自然・物(天候や物体が原因になる怒り)、生理的要因(空腹、睡魔等生理的要因で生じる怒り)、自分(自分自身の行動やその結果が原因で生じる怒り)等があった。

悲しみは、自分の行動結果(成績が悪いなど自分の行動結果から生じる悲しみ)、生理的要因(体調が悪いなど)、対人的要因(他者によってひきおこされるもの)、偶然(運の悪さなどが原因)などの頻度が相対的に高かった。悲しみの典型例のような別離(人や動物との別れ)は、日常的には頻度は低かった。他には、頻度は低かったが、媒体からの感情伝播《でんぱ》(テレビや新聞を見て)、共感的要因(他者の悲しみに共感する)なども見られた。

同じネガティブな感情でも、怒りはどちらかと言えば外界の刺激、特に他者の言動が原因で生じることが多く、悲しみは自分の行動が原因で生じることが多いと言えよう。

個人ごとに感情日誌を見ていくと、前に見たように怒りについてはかなり過激な内容も見られた。「先生がマジでうるさい。死ね、死ね、死ね」「死んでほしい」「ちょうムカ、クソババア」「うっとうしい、消えろ」などの記述が並んでいた。人によっては先生に対する怒りの表現ばかりが記されているものもある。

また、友達からの働きかけに、一喜一憂している子もいる。例えば、「友達が親切にしてくれたからうれしい」「手伝ってくれたからうれしい」と言う一方、「友達がすごく楽しそうだからムカツク」「誰も相手にしてくれず悲しい」などで占められる。喜びの中には健全とは思われない「先生が体調不良で休みと聞いてうれしい」「学年主任の先生が出張と聞いてうれしい」なども含まれていた。

大学生の喜び、怒り、悲しみ

大学生についても、中学生の場合のように二一日間、感情日誌をつけてもらうことにした。中学生の場合と異なるのは一日に一〇件以上は記述することを目安にしてほしい旨伝えたことである（「大学生の日常的感情に関する研究—感情日誌を用いて—」名古屋大学大学院教育発達科学研究科紀要、心理発達科学、四七巻）。対象は男子学生三二名、女子学生四七名の計七九名である。ここでも三種類の感情の頻度の高さは中学生と同様、喜び、怒り、悲しみの順であった。特に大学生の場合は時間ごとに頻度をプロットしたところ次のような特徴が見

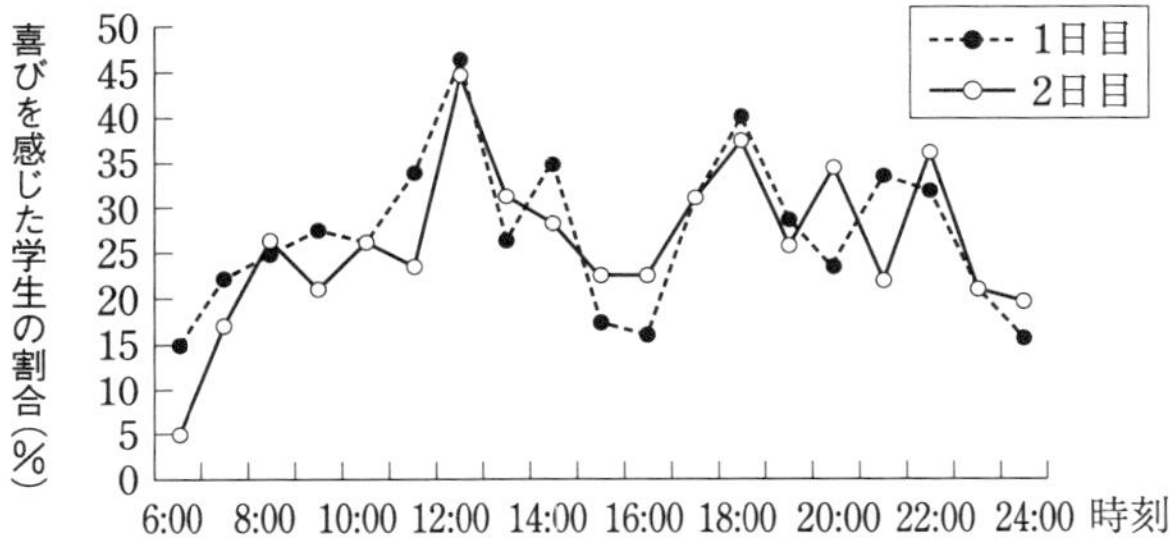

図 1-2　喜びの感情の時間的変化

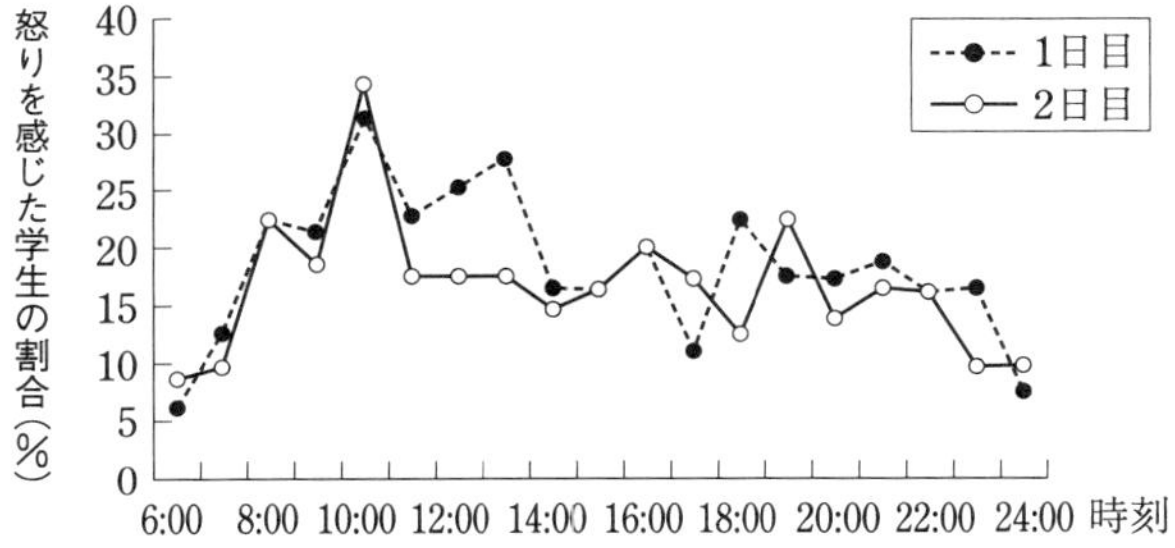

図 1-3　怒りの感情の時間的変化

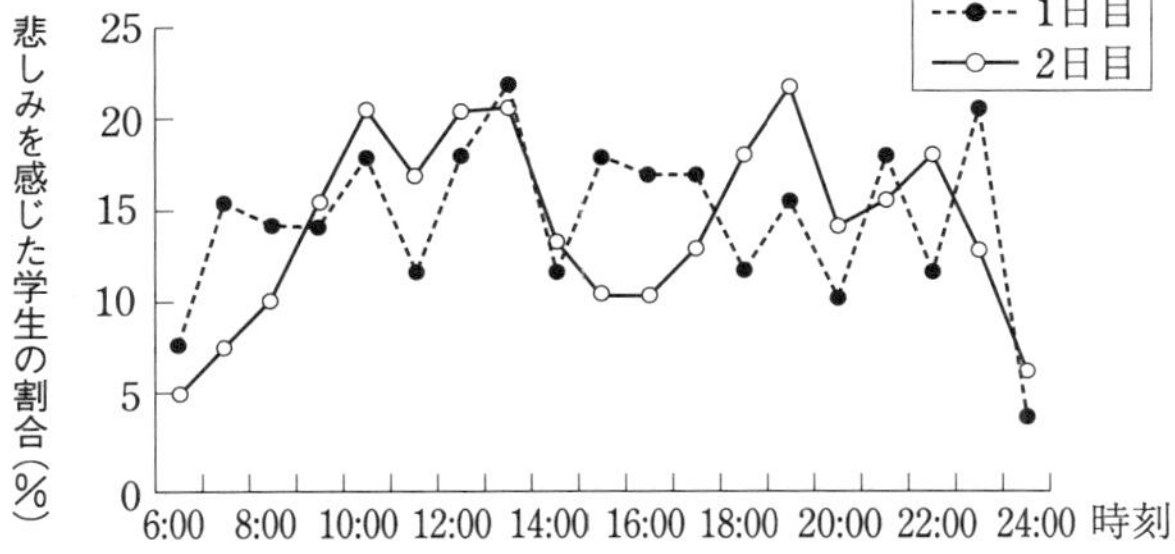

図 1-4　悲しみの感情の時間的変化

られた（図1-2、図1-3、図1-4参照）。

喜びは、一日目と二日目の時間的変化の一致の度合いはかなり高いことがわかる。喜びの頻度のピークが一二時—一三時、一八時—一九時でちょうど食事時にあたっており、日常的な共通の喜びとしては、当然の結果かもしれない。一方、その頻度が最も低くなるのは、起床直後を除けば一五時—一七時あたりで、学校生活での疲れがたまる時間帯と考えられる。

次に、怒りであるが、時間的変化は二日間で比較的安定していた。怒りは午前一〇時—一一時に最高になっている。これは大学での二時間目の授業時にあたり、まだ十分目が覚めないで授業に臨んでいるためかもしれない。その後、午後からは怒りの頻度は概して低下する。

しかし、悲しみの時間的変化は二日間であまり一貫していない。悲しみは生活パターンとはあまり関係がないらしい。

次に、それぞれの感情の原因であるが、まず、喜びでは中学生と同様、生理的満足、目標としていたことが達成できたとき、仲間と親密な人間関係が形成されたときに生じている。

怒りについては、中学生に比べて、自分の行動が原因で怒りが生じることが多くなっており、仲間、家族、先生といった身近な人間関係等から生じるものは、相対的に減少している。逆にまったく知らない他者が原因で生じる怒りが多くなっていた。これは、中学生は固定した家庭、学級での生活が中心であるのに対して、大学生は一人で生活している者も多く、明確な学級というものはなく、毎日のように固定した先生、仲間と接触する機会が少ないためと思われる。また、大学生の場合、電車、バスなどの登下校途中で知らない人に接触する機会が多いという理由もある。

悲しみは、中学生の場合のように、自分の行動結果、偶然、生理的要因、対人的要因などの頻度が高い。しかし、「未来の想定」としたカテゴリーは増加していた。これは就職のことなど、未来のことを考えて悲しむことを意味している。

このように見てくると、中学生と大学生の感情の持ち方にはかなりの相違が見られ、中学生が感情的にかなり不安定であることが推測される。それはタイトな生活パターンとも関係していようが、発達的、年齢的な要因、さらには世代的な相違も関係しているのかもしれない。

感じない子どもたち

袰岩《ほろいわ》奈々氏によると、最近の子どもたちは不快感自体を体験することが少なくなってきているのではないか、と言う（『感じない子ども　こころを扱えない大人』集英社新書）。そして、その理由として、子どもたちが欲求不満でぐずっているときに、親がその場を早く乗り切りたくて、お金で買えるものならすぐに買い与えてしまうことが多くなっているからではないか、と説明している。確かにそうかもしれない。かつては、デパートなどで何かを買って欲しくて地団太《じだんだ》を踏んで泣きじゃくる子どもに、よく遭遇したような気がするが、そのような光景は最近あまり見なくなった。それは、子どもが欲求不満に陥る前に、親が何でも買い与えるためではなかろうか。欲求不満にならなければ、我慢も、悲しみも生じない。

このように子どもが不快感をあまり体験しなくなったのは、結局、大人自身が不快感やネガティブな気持ちへの耐性がなくなってきていることを反映していると言えよう。また、最近は、ネクラが否定され、ポジティブ思考が声高に叫ばれてきた。常に前向きであることがよしとされ、弱虫であること、身を引くこと、悩んで立ち止まることは、悪いことと見なされてきたふしがある。そのような価値観の変化も当然、影響していよう。

さらに、すべてが自動化できる時代にあって、あらゆる課題に対して即座に効率的に判断することや、結論を出すことが求められている。現代の人々に不安や心配を長く引きずって考えこんでいる余裕はなく、早く元気を出して、次のことに取りかかることが、当然社会的に見て望ましい対処法だと考えられている。

この様な指摘は、前に見てきた最近の若者が悲しみの感情をあまり持たなくなったという指摘と符合する。いつまでも悲しんで、うじうじしている人間は、動きの速い現代では流れにとり残されてしまうという気持ちが無意識のうちに働いて、人を前へ前へと駆り立てているのである。

実は「怒り」ですら、最近の若者たちはあまり感じていないのではないかという指摘もある。荷宮《にみや》和子氏は、「近ごろの若いもん」の言動、すなわち、理不尽な目にあっても、抗議することなく、「決まっちゃったことはしょうがない」で納得してしまう振る舞いが気になるという(『若者はなぜ怒らなくなったのか—団塊と団塊ジュニアの溝—』中公新書ラクレ)。

一方、最近の若者は個人的な些細なことでキレやすく、それが「若者たちは怒りという感情を持ちやすい」という解釈を生じさせる面もある。例えば、先生から不平等な扱いを受けたり、相手が少しでも有利な条件で勝負に挑んだような場合である。しかし、怒りの対象が個人でなく、集団であったりするような場合、その怒りは、昔に比べて浅かったり弱かったりするのかもしれない。

また後述するように、直接自分だけに関わるのでなく、社会全体に関わる不条理なことに関しては、怒りを露わにすることは減少しているように見える。それは、個人の損得には敏感になったが、社会の損得や他者の損得には共感できず鈍感になったということかもしれない。

「悲しみ」と「怒り」の性質

これまで特に中学生と大学生の日常的な「喜び」「怒り」「悲しみ」の感情について見てきたが、ここからは、その中の代表的なネガティブな感情、すなわち「怒り」と「悲しみ」という二つの感情に特に注目して見ていきたい。まず二つの感情の特徴について述べ、それらの感情の文化差や時代差についても言及する。

「悲しみ」とは、広義に使用されるもので、英語でいうsadnessにあたり、抑鬱《よくうつ》(depression)や悲嘆(grief)に限定されるものではない。抑鬱や悲嘆という概念は、悲しみの強度が高かったり、持続性が強いときに用いられ、やや病的な症状を呈する場合もある。悲しみの感情の特徴、他の類似する感情との違いについて心理学的知見に基づいて述べれば、以下のようになる。

悲しみは一般に、目標の喪失や到達できないこと、獲得できないことへの反応として見なされる。そして、同じネガティブ感情の恐怖は、ある出来事が起こるのを予期した反応であるのに対して、悲しみは、既に起こったことへの反応である。また、罪の感情は、自己がその問題に責任を持つ場合に起こるが、悲しみを感じるのは、必ずしもそのような場合だけではない。

さらに「怒り」は、他者に責任がある場合に見られるが、悲しみは誰にも落ち度がないときにも生じる。また、怒る人は、失った目標を置き換えることができると考えるが、悲しむ人は概して、失ったものを再現させることがむずかしいと考える。しかし、あきらめの感情との対比で言えば、あきらめは悪い結果が不可避的なものとして認知されるとき見られるのに対して、悲しみは不可避的なものでないときにも生じる。

悲しみの機能としては、それが外界への注意を増大させることもあるし、減少させることもある。悲しみを示すことで、他者に助けてほしいと伝えることもあるが、注意が自分自身に向けられ、自分一人でいることを好む場合もある。悲しみの自己焦点機能は、自分の目標を追求するための多くの注意を自分に払わせ、どのようなことがうまくいっていないかに関するフィードバックを自分に提供する。外への注意の減少は、エネルギーを温存させ、問題解決に専念させることになるとも言える。

ところで、怒りはこれまで常に、外に向けられているものとして捉えられがちであったが、必ずしもそれだけではない。というのは、自分自身に怒りが向くこともあるからである。「自分に腹が立つ」というような場合が、それに当たる。そのような自分に向けられた怒りは、他者に向けられる通常の怒りとは性質を異にしており、より悲しみと近いものかもしれない。しかしここでは、怒りには、他者に向けられるものと、自分に向けられるものの、二種類があると指摘するのにとどめよう。

感情の文化差

次に、怒りや悲しみの感情の文化差について考えたい。どこの文化にも同じように怒りや悲しみの感情が存在するわけではないらしい。例えばミクロネシアのイファラク族についての研究によれば、感情語として「悲しみ」に相当する語はないことがわかっている。一方、他者の苦しみに直面した際に感じる感情「ファゴ」(fago) に関心が持たれた。研究者はこれを同情 (compassion)、愛 (love) あるいは悲しみ (sadness) と翻訳した。「ファゴ」は苦痛であることは明らかだが、その土地の人々は「ファゴ」を感じる能力にプライドを持つ。それは静かでおとなしいことを意味し、寛容さと成熟度にも結びつくため、尊敬に値する情け深い感情とされる。

一方、怒りに近い感情を表現する言葉としては、「ソング」(song) があるようだ。ソングとは、是認されない不品行に対して限定的に向けられる感情であり、イファラク族は社会的秩序を乱す行為に対して、これを表出することを社会的義務と考えているらしい。しかし、われわれが日常的に言う「怒り」の感情はもっと広範囲の意味を持つ。

また、エスキモーのある部族では、怒りの感情がほとんど観察されないことが知られている。それは単に怒りは表出しないというのでなく、怒りを感じていないらしい。また、悲しみという言葉がなく、孤独を意味する言葉があるだけだという。

このように地理上の文化の違いにより、感情が異なったものであるならば、当然、同じ日本の中でも、歴史的な文化の相違により、ある時代に生きた人間の感情の持ち方には特徴があると考えるのが妥当であろう。小説家の五木寛之氏は、現代の日本で「悲しみの希薄化」が進んでいることを嘆いている（『生きるヒント4』文化出版局）。怒りと悲しみという二つの感情に注目すれば、先の先生との面接結果から見ても、氏の指摘のように、我が国は現在「悲しみの文化」から「怒りの文化」に移行しているようにも思われる。

悲しみ量の歴史的変化

「悲しみの文化」が減少し「怒りの文化」が増大しているという見方は、どのように立証できるのだろうか。残念ながら筆者は、直接それを立証するような心理学的方法はいまだ思いついていない。感情はすぐに消えていくし、形がないので何かに記録しておくわけにはいかない。また、単位が決まらないので量的に測ることがむずかしい。過去なり、現在なりの、日本人が感じた潜在的な「悲しみ」や「怒り」の総量を測定し、比較しようという問題の立て方自体が、非現実的なことかもしれない。

しかし、研究方法として、必ずしも妥当性が高いとは言えないかもしれないが、間接的証拠はいくつか挙げることができる。ここでは、戦後の作文、流行歌、映画の内容の変遷を分析した研究を通して、悲しみの感情の変化を推測してみよう。

作文から見る

例えば、作文である。我が国の学校教育では、古くから子どもたちに作文を書かせてきた。作文でどのようなテーマを扱うにしろ、書き手の感情がそこに反映されるはずである。本来なら、まず時代区分をして、その時書かれた子どもの作文をランダムに抽出し、内容を比較することになるのだが、昔書かれた作文が、保存されていることは稀《まれ》である。

ここでは日本作文の会の『子どもの作文で綴る戦後50年』(大月書店)の中に収められた作文を分析の対象とした。そして、特に感情が反映されやすいと考えられる、第三巻「家族ってなんだ」に注目した。むろん、これらの作文自体、特定の本に収められているという点で、その時代時代の子どもたちの作文を、ランダムに選び出したということにはならないことは、十分に承知している。そして、一六ページから五二ページまで(実質三七ページ分）に収められている一九四〇年代および一九五〇年代の作文一五編、二〇二ページから二三九ページまで（実質三八ページ分）に収められている一九九〇年代の作文一三編を対象にした。

ところで『感情表現辞典』（東京堂出版）を著している中村明氏によれば、「哀」という表現カテゴリーの中には「悲しい」「かわいそう」「さびしい」「むなしい」「感傷」「嘆く」「泣く」などが含まれている。そこで、ここでは「悲しい」だけでなく、それに類似して比較的使用頻度が高いと思われる「さびしい」「泣く」「かわいそう」の合わせて四語に注目し、その語が出ているページ数を二つの時代で比較した。

その結果、一九四〇年代から一九五〇年代までと一九九〇年代の出現頻度の比は「悲しい」では五対三、「さびしい」は三対二、「泣く」は六対五、「かわいそう」は三対〇であった。総計としては五対三ということになり、戦後十数年の間の方が最近よりも、「悲しい」に類した感情が、多く生じていたと推定される。

これはきわめて限られた資料からの比較であり、確実なこととは言えない。しかし、このような種類のデータを積み上げることで、戦後五〇年の感情の持ち方の変化を、より精度を高めて推測できる可能性がある。戦後間もない頃、子どもたちが貧しさ故に、頻繁に悲しみを感じていたことは、典型的には無着《むちゃく》成恭《せいきょう》氏の有名な『山びこ学校』（岩波文庫）にまとめられた山村の子どもたちの生活を綴った作文等からも十分読み取ることができる。

流行歌から見る

他の間接的証拠として流行歌についての分析がある。流行歌の歌詞は、本人自身の感情を表したものではないが、特定の歌がよく歌われるということは、その歌詞への共感が多いことが一つの理由と考えられる。松島典雄氏は、昭和の流行歌の歌詞に見られる感情形容詞を分析し、基調をなすものは、「かなしい・さびしい・つらい」等の悲哀感情表現と、「やさしい・かわいい・こいしい・なつかしい・ほしい」等の思慕感情表現の二大潮流があると指摘している（「昭和期の流行歌の歌詞にみられる感情形容詞の一考察—『かなしい』について—」福井大学国語会、国語国文学、二四巻）。そして、「かなしい」は、流行歌でもポップスでも、最も多く使われている形容詞であるという。

しかし、時代的な変化としては、古い世代が悲哀感を基調とした演歌に傾倒していたのに対して、昭和四〇年代（一九六五～一九七四年）頃からは、フォークやニューミュージックを好む若者が増え、ドライでさばさばした感情を表現しようとする傾向が強まったとしている。例えば「ほしい」という表現頻度は、一九四六～五五年が二、一九五六～六五年が一八、一九六六～七五年が八四と急上昇していることを報告している。

また、藤川大祐氏による、最近のヒット曲の変化と子どもたちの現在の状況についての考察もある（「ヒット曲の変化と子どもたちの状況」金城学院大学論集、「ヒット曲の変化と子どもたちの状況（2）——『等身大ソング』の台頭——」金城学院大学論集）。藤川氏は、ここ数年のヒット曲の特徴として、「根拠なき自己肯定」を挙げ、歌詞の裏には、努力や経験という代償なしに誇りを得たいという、現代の青年たちの欲求があると指摘している。しかし、実際に努力や経験を重ねることが、現代の世の中では容易でないために、一方では「癒しソング」が流行したという。そして、「癒しソング」の後には、長引く不況の中で、物質的には豊かでなくとも、自分らしく夢を追うことを基調とした「等身大ソング」というものがはやりだしているという。

このように見てくると、最近は少なくとも若い人たちにとっては「悲しみ」という感情とは異なるところで共感する歌があるらしい。

映画から見る

大衆のその時々の感情の特徴を推測する手段として、流行歌と同じように映画もその手がかりとなりえよう。

映画評論家の佐藤忠男氏は、一九五〇年代の中頃に、映画の内容が変化したことを指摘している(『日本映画と日本文化』未来社)。すなわち、それまでの映画は泣く場面がきわめて多く、いささかセンチメンタルであったという。そして「泣くことが善人のしるしであり、なぜ善人であるかといえば自分は被害者だからであるという、こうした意味で日本映画には泣くという芝居が文字どおり濫用されていた」としている。感傷的であり、誠実であり、深刻であるということが、それまでの日本映画では最も正統的で価値のある作風とされていたのであった。当時の映画の鑑賞者は悲しみに堪え、真面目に努力する主人公と自分を重ね合わせていたものと推察できる。

しかし、一九五〇年代後半には、主人公は急速に泣かなくなり、「エネルギー主義」が吹き荒れたとしている。エネルギー主義とは、「太陽の季節」や「嵐を呼ぶ男」に代表されるような、禁欲的な道徳主義を蹴《け》飛《と》ばして欲望の解放をうたい、やりたいことをやるといった、人間のエネルギーを重視したものである。このように映画の世界でも、悲しみが減少傾向にあることが推測され、それは実世界の反映であると考えられよう。

これらの社会学的分析は、時代比較としてはかなり大まかなものであるが、日本人の感情に既に現在の中高年層が青春時代をすごした一九六〇年代あたりから変化が生じてきていると見ることができる。

個人的怒りの増大

既に何年か前から現代人は「悲しみ」よりも「怒り」を感じる時代に突入していると考えられる。事実最近の、特に若者にあっては、「キレる」とか「むかつく」という言葉が氾濫《はんらん》し、怒りを露わにするような事件が、頻繁に起きていることからも類推できる。

しかし、作文や詩歌等に、まともに怒りを主題とするものは少なく、悲しみと同じような手法で怒りを推測することは不可能であろう。また、怒りは悲しみより、周囲を傷つける可能性が高い感情なので、表出には抑制が働くと考えられる。

豊かな社会が一般に明るく、貧しい社会が暗いと考えれば、豊かになった今は怒りの量が減少してよいはずである。例えば、一九六〇年代の大学生は、「安保反対」「エンタープライズ寄港反対」「沖縄を返せ」「大学の古い体制をうち砕け」などと怒りに燃えていたのに対して、今の学生は、あまりにも平和であり、外部に向かって、怒りを表すようなことがない。また、戦争直後には、食べ物の奪い合いだとか、農地改革での地主と小作人の対立だとかが生じており、「生きる」ことを巡っての「怒り」が頻繁に生じていたはずだが、今ではそのようなこともない。そのような側面では怒りは確かに減少しているはずである。

そもそも、怒りの感情と悲しみの感情は、分離しがたく絡み合っている部分もある。同じ事象に対して初めは悲しみに沈むが時間と共に徐々に怒りがこみ上げてくることもある。一方で、当初は頭に血が上り、怒りでわめき散らすが、それがおさまると急に寂しくなり、涙をぼろぼろ流して、悲しみに襲われることもある。その意味では怒りは悲しみと同じように減少したのかもしれない。

しかし、「怒り」にもさまざまな内容があることに、注意すべきであろう。昔は基本的生活の不十分さから来る怒りや、それをコントロールする政府や経営者に対する怒りが多かったように思われる。しかし、労働団体の経営者側への怒りは、豊かになるとともに減少してきたと言える。

一方、近年では自分の自尊感情が傷つけられた場合については、些細なことで怒ることが多くなったのではなかろうか。例えば、この稿を書いている現在、「危ない運転をしていたドライバーに歩行者が注意したところ、注意されたことに怒って、注意した歩行者の家族をひき殺そうとした」という事件が報じられている。

正当な注意を与えただけなのに、なぜそれほどまでに怒るのだろうか。それは人から注意を受けることに対して、自分が下に見られたという認識が強く働いたためではなかろうか。全く知らない人間から低く見られることが、なんとも耐え難かったのである。

しかし、怒りの表出は最近では、目上の人に対しても見られる。また、多くの先生たちが口をそろえて言うことの中に、今の子どもは叱っても「すみません」という言葉で素直に謝ることが稀であるという話がある。彼らは謝らないで、「なぜ自分ばかり責めるのか」と他の同罪者の名前を口にすることが多いという。子どもたちは先生に対しても怒りを抱き、それを表現することが普通になったと言える。

このような角度から見ると、やはり怒りは悲しみのようには減少しておらず、むしろ増大し、我が国は悲しみ中心の文化から怒り中心の文化に移行したように思える。この移行にはどのような社会的要因の変化が関わっているのかを次に論じていこう。

貧しさから豊かさへ

貧しさが、さまざまな負の感情をもたらすことは、想像に難くない。貧しさにより衣食住が満たされないために、悲しみや怒り、情けなさ、嘆き、憂鬱、恥ずかしさ、暗澹《あんたん》などの負の感情が生起するのは自然であろう。とりわけ、貧しさという社会経済的要因と、悲しみの感情は、密接な関係にあるように思われる。悲しみは典型的には、自分にとって重要な何かを喪失したときに感じるものであるが、豊かになるに従い、そのような機会が減少してくる。例えば、昔は貧しさのために、栄養不足や過労が原因で、また、医療の不十分さから、人々が早死にする場合が多かった。そのため、多くの子どもたちが、身近な人の現実の死に直面し、悲しみに対峙《たいじ》せざるをえなかった。

さらに、死と同様、別れも悲しみの感情を喚起する典型的な場面であるが、以前の別れは、長期間にわたって本人と全く会うことができないことを意味していた。しかし、物質的に豊かになった今、距離的に離れたところに移動したとしても、いざとなれば短時間のうちに帰れる交通手段があるし、電話やメールでたえず連絡できる。別れの意味は、まったく異なってきている。このように物質的豊かさは悲しみの感情を抱く経験を減少させてきた。

権威主義から民主主義へ

権威主義の世の中では、権威には絶対服従なので、個人の自由な欲求は阻止される。権威のある人は社会の中で少数であるから、多くの人は悲しみを感じながらも、命令に従うことになる。例えば、かつては学校では先生が権威を持ち、体罰すらも大目に見られていた。昔の子どもたちは、自分の意見を述べることさえできない中で、先生の不当な行為に対しても抵抗できず、悲しみを抱いていたに相違ない。

しかし、民主主義が浸透した現在、先生と子どもは対等に近い立場にあり、学級で問題が生じた場合、子ども自身の責任というよりもむしろ、先生の責任と受け取りやすく、先生の注意に対して子どもが感じるのは、悲しみというよりも怒りである。

戦後の民主主義は、それまでの考え方の百八十度の転換であり、制度的には急激な変化であったが、人々の心の中に浸透するにはかなりの時間を要したと言えるであろう。したがって、筆者が小・中学時代をすごした昭和二〇年代、三〇年代までは、実際には、かなり権威主義的な色彩の濃い教育をする先生も少なからずいたように思われる。私の記憶では、先生がクラスの生徒を「盗みをした」との理由で力まかせになぐったこともあるし、別のクラスでは、授業態度の悪い生徒が革のスリッパでぶたれた、と聞いたこともあった。また、真偽のほどは定かでないが、当時、ある高校では、受験勉強をするのに睡魔に負けないように「天井から目の前に包丁をぶら下げておけ」と力説した校長がいたと聞いたこともある。

昭和四〇年代に、筆者は大学、大学院時代を過ごし、大学の民主化を叫んだ大学紛争の時代を経験した。確かにまだ、あの頃の大学には、学生に対しては上意下達的な感覚で対応する教授もいないわけではなかった。同世代の人の中には、教授に研究の相談に行くには前日から心の準備をし、ドアの前で深呼吸してからノックしたと語る者もいる。

しかし、戦後六〇年が経過した今、学校にも民主主義はしっかり根を下ろしたと言えるであろう。先生中心の授業は生徒中心になり、何事も先生が勝手に決定して一方的に言い渡したりするようなことはできなくなった。体罰はもちろん禁止され、いや言語的な叱責《しっせき》ですら、子どもの親の動きを察して、先生は抑え気味になったと言えるだろう。

民主主義を象徴するのは、やはり「自由」という言葉である。すべての人の自由を尊重せねばならなくなったために、学校でも先生が、子どもの自由を制限することができなくなったと言えるかもしれない。千石保《せんごくたもつ》氏が指摘しているように、子どもたちは自己決定することをあたりまえと考えるようになった（『新エゴイズムの若者たち―自己決定主義という価値観―』ＰＨＰ新書）。しかしこの風潮は子どもたちに、何でも自分たちで決めればよいのだ、といった考えを助長してきたことは確かであろう。戦後社会の民主化は、「命令に従う人間」から「自分で命令する人間」への変化であったと言ってもよい。

宗教の衰退

悲しみは負の感情で、快楽から最も遊離したものと見なされるが、文化人類学的研究は、この考えに一致しない。悲しみや忍耐は、中世においては禁欲主義を犯す不正に対置する価値として賞賛された。

一七世紀の英国の日記には、困難に直面した際、忍耐や知恵を解決と見なし、悲しみに誇りを感じている人たちが描かれているという。悲しいことは、しばしば、罪があることとは逆のことと見なされる。神は楽しみや快楽を許さず、逆に、憂鬱さや厳格さを受容すると考えられた。

このような見方は、我が国の仏教や神道においても、少なからず含まれているのではなかろうか。戦後間もない頃の子どもの成長には、祖父母等の影響も強く、宗教の影響は幾分あったと考えられるが、その後宗教への信仰が衰退し、禁欲主義を美化する傾向が漸次《ぜんじ》弱まるにつれて、悲しみの感情は、美しく尊いものというよりも、むしろ暗く避けるべきものとして位置づけられるようになった。

集団主義から個人主義へ

悲しみの感情を示すときには、助けを求める気持ちが含まれている場合が多い。全体が協力しあうことをよしとする集団主義の文化には、その求めを受容する備えがある。したがって、悲しみは生じやすい。他方、個人主義の文化では、悲しみは弱みを見せることになるし、人に助けられることを恥と考える。自分が強くなければならず、他者の不当な行為に対しては怒りを露わにして戦うことが当然とされる。日本の社会も集団主義から個人主義へと徐々に移行しており、それが悲しみの感情の減少と怒りの増大に反映していると考えられる。

ギリシャの心理学者トリアンディス氏によれば、個人主義の短所として、「疎外感やナルシスト的な自己陶酔に対して無防備にし、狭い自己関心の追求へと導く」点があるという（神山貴弥・藤原武弘訳編『個人主義と集団主義―2つのレンズを通して読み解く文化―』北大路書房）。個人主義は、孤独感と社会的サポートの不足とも結び付けられており、家庭内葛藤や離婚にも関連している。確かに我が国でも、戦後、離婚率は増加の一途をたどっている。夫婦の葛藤は、集団主義の時代にあっては、悲しみの感情として蓄積され、長い年月の間に、あきらめの感情として風化していくことが多かったが、現在の個人主義傾向が強まった時代では、葛藤が起きると、即座に怒りの感情として爆発したり、慰謝料などをめぐって醜い争いが展開したりする。すなわち、個人主義社会では攻撃性が高まり、暴力が日常的に発生するのである。

第二章——やる気が低下する若者たち

やる気の変化

これまで感情だけに着目してきたが、ここではやる気や動機づけについて考える。もちろん、生き生きしたポジティブな感情を持つことで、やる気や動機づけも高まるし、やる気や動機づけが低下するのは憂鬱な気分に浸っている時が多いというような相互関係もある。

動機づけとは、本来、さまざまな方向を持つものなので、子どもや若者の動機づけと言っても、勉学や学習だけに向けられるものではないが、最近の学力低下論争に伴って、学習動機づけの低下を指摘する声がかまびすしい。学習時間が減少しているのは、動機づけの低下を意味しているとの指摘は、確かに的外れのものではない。日本の経済が右肩あがりであった頃子どもたちは、よい成績をとればよい大学に行け、よい会社で高い地位をえて、高収入をえることができるという、単純な、しかし確実な図式にしたがって、動機づけられることが可能だった。しかし、今日ではその図式そのものが成立しがたくなっており、勉強したからといって幸せを手に入れられるわけではないので、学習の動機づけが低下してきているというのが、大方の識者たちの見解である。

むろん、学習動機づけにも種類があり、その種類の違いによっても、時代に伴う変化は異なるのかもしれない。受験戦争と揶揄《やゆ》されながら、勉強時間の長かった時代に、学習自体が楽しいからという理由で動機づけられていた生徒は多くはなかっただろう。競争に勝ちたい、不合格で浪人でもするようなことになれば恥ずかしい、という気持ちが強かったのではなかろうか。また、親や先生が競争を煽《あお》ったため、叱られる恐さから勉強しようとした子どもも、少なくなかったろう。

ところが最近は、そのような外圧は概して低い。その代わりに「ゆとりをもってのびのびと」が教育の謳《うた》い文句であり、個性化が叫ばれ、本人の能力を伸ばす援助をするのが、教育者の役目とされる。そのような風潮の中では、「楽しく勉強する」ことが重視され、外側から動機づける賞罰を中心とした外発的動機づけは悪者視され、本人自身の内側から生じる内発的動機づけが尊重される。

さて、子どもだけでなく、大人の勤労意欲も、戦後豊かさが広まるにつれて変化してきたと言わざるをえない。馬車馬のように働き、少しでも貧しさから抜け出ようとする時代は終わりを告げ、個人の生活を楽しむために働く時代が到来しつつある。会社で高い地位につくことに対しても、魅力を感じる人の数は減少してきており、少しばかり高い給与をえて重い責任を背負うよりは、のんびりとレジャーを楽しみながら暮らしたい、と考える人が増えてきた。

自信のない日本の若者

昨今の若者たちは、自分の人生に明るい未来や心躍るような夢を描いているようには見えない。終戦直後に生まれた人たちの中には、貧しさと戦い、少しでも豊かな生活を希求して、ひた走ってきた人が少なくない。しかし、現代の日本社会では、さらに高い水準の生活は現実的には求めようもなく、物質的に充足した今の若者たちは、人生の目標や夢を失ったように見える。このような状況下にある人たちが、自分自身の価値を意識して生きることは、むずかしいことかもしれない。それは、若者が社会に貢献できているという感覚や、社会に必要とされているという感覚をもちにくい時代であるためだろう。

ところで、自分の捉え方を表す心理学的概念として自尊感情と呼ばれるものがある。アメリカの心理学者ローゼンバーグ氏はこれを「自己に対する肯定的あるいは否定的態度」と定義している。そして、それは自分を「非常によい」と感じることでなく、「これでよい」と感じることだと述べている。つまり、自分を価値ある者と感じ、ありのままの自分を尊敬できる場合は、自尊感情が高いということになる。氏はそのような定義にそって、一〇項目から成る自尊感情測定尺度を提案し、信頼性や妥当性も検討した。他にも多くの自尊感情尺度が作成されているが、この尺度の使用頻度は高い。

河地和子氏は、このローゼンバーグ氏の自尊感情尺度のうち六項目を用いて、日本、中国、アメリカ、スウェーデンの中学三年生(一四〜一五歳)の自尊感情を比較検討した(『自信力はどう育つか―思春期の子ども世界4都市調査からの提言―』朝日新聞社)。その結果、日本の中学生はすべての項目で低い値を示したが、特に「自分に積極的な評価をしている」という項目で、「強くそう思う」「そう思う」と肯定する割合が、中国では九二・七パーセント、スウェーデンでは八三・二パーセント、アメリカでは七七・九パーセントであったのに対して、日本では四〇パーセントにすぎなかった。

一方、否定的方向から尋ねる項目の「自分を誇れるものがあまりない」の項目に関しては「そうは思わない」「全然思わない」と否定する者は、他の国では七〇〜八〇パーセントであったのに対し、日本では半数に満たない結果であった。このような結果を見ると、日本の中学生たちは、他国の中学生に比較して、自分に自信が持てず満足していない、つまり、自分を価値ある存在と見なしていない、と推測せざるをえない。

しかし、後の第四章で見るように、若者たちは自分に満足していないからといっても、常に自己否定しているわけではない。満足できない分、自分を肯定したいという願望も強く、現象的には矛盾した面を持つと考えられている。

有能感の国際比較

日本の若者の自信が、他の国の若者に比べて低いことを示した研究は、こればかりではない。古澤頼雄《こさわよりお》氏は、日本人、帰国子女日本人、日系米国人、白系米国人の中学生の有能感を比較して、日本人や帰国子女日本人のあらゆる領域（学業・運動・道徳性・友人関係・親子関係）での有能感が低いことを指摘している（「青年期における自己有能感―日本人・帰国子女日本人・日系米国人・白系米国人の比較―」東京女子大学比較文化研究所紀要、六一巻）。

有能感とは、それぞれの領域において、外界と相互作用する力があると思うか否かの問題で、自信という言葉に置き換えてもよいだろう。テストの点数等の客観的な指標がある学業に限定すれば、学力の国際比較研究などを見ても、日本の中学生のそれは、米国人に比較して決して劣るものではない。おそらく、他の領域についても、同じようなことが言えよう。にもかかわらず、日本人や帰国子女日本人の中学生は、自分を有能でないと自己卑下的判断を下すところに問題があろう。

日本の若者があまり自分に自信を持っていないことを指摘するデータは、他のものにも見られる。例えば、一九九九年の総務庁による「低年齢少年の価値観等に関する調査」である。この調査で、「自分に自信がある」という項目に対して、「あてはまる」「まああてはまる」と答えたのは、小学生では五六・四パーセントであるのに対して中学生では四一・一パーセント、一方、「自分がだめな人間であると思うことがある」にあてはまるのは、小学生で二三・五パーセント、中学生で三〇・七パーセントであった。

この結果では、小学生よりも中学生で、自信を低下させている点が注目される。素直に考えるならば、中学生は小学生よりも知力、体力ともに成長することで、絶対的な意味では自信が増すはずである。しかしこの結果は、「自分に自信がある」ということが、絶対的判断でなく相対的判断によることを物語っていよう。自己評価は本来、自分の内側で自分のモノサシで行うものであるが、社会生活を営む中で社会的影響を受けざるを得ない。学級での仲間との比較、先生や親からの評価、といった荒波に襲われ、もまれる中で、当初の大きく輝いていた自信の塊は、小さく色褪《あ》せたものになる。

「大志」を嫌う現代っ子

日本が経済的な高度成長を迎える以前に生まれた人の中には、クラーク博士の名言、「少年よ、大志を抱け」という言葉を聞き、身を奮い立たせた人も少なくなかったように思われる。しかし、最近の若者たちには、この言葉はどのように響くのであろうか。先の自尊感情や有能感の低下は、子どもたちが将来に夢を抱くことに、望ましい影響は与えないはずである。

千石保氏とロイズ・デビッツ氏は、「三〇歳になった時、どんな仕事についているか」という質問を、日本とアメリカの高校生に対して行った（『日本の若者・アメリカの若者―高校生の意識と行動―』NHKブックス）。その結果、アメリカの高校生で選択率が最も高かったのは、「医者や弁護士・大学教授などの自由業」で四七・八パーセント、その次が「大企業の従業員」で四七・〇パーセントであった。一方、日本の高校生が最も多く選んだのは、「中小企業の従業員」の四六・六パーセントであった。この結果は、アメリカの高校生が理想主義的で、日本の高校生は現実主義的である、という見方も可能であるし、なぜ中小企業の従業員であってはいけないのか、という反論もあろうが、現在の日本の若者が、立身出世的な夢をあまり抱いていないことだけは確かである。

それは、現在では国民の生活水準が一様に高まり、大企業でなく中小企業の従業員だとしても十分に豊かな生活が可能で、わざわざ苦労して高い地位や責任ある地位を得る必要がない、と考えているためではなかろうか。一昔前までの有名な歌手やプロ野球選手の中には、親に豊かな生活をさせたいので、歯を食いしばってがんばった、というような、自分の栄光への道のりを語る人も少なくなかったが、芸能界やスポーツ界でも、おそらく今後このような人たちはあまり見られなくなるだろう。

ところで、「大志」という言葉は、世俗的な「金銭」とか「地位」と連動して使われている場合が多い。といって現代の若者がそれらを薄汚い物として否定しているわけではない。むしろ金銭や地位がないよりはある方がよい、と現実的に考えているだろう。ただ、それを追い求めて汗だくになって努力するよりも、日々をのんびり楽しく暮らした方がまし、と思っているだけである。

要は現代の若者は、社会の望む一定の価値に方向づけて自分を形成してゆくことを好まないのである。人のやる気を心理学では達成動機と言っているが、達成動機が向けられる方向には二つあり、一つは社会的に承認された仕事や勉強への社会的達成動機と呼ぶもの、もう一つは個人的に重視された趣味やスポーツへの個人的達成動機とでも呼ぶべきものである（堀野緑『達成動機の構成因子の分析―達成動機の概念の再検討―』教育心理学研究、三五巻）。言うまでもなく、最近の若者たちは、社会的達成動機が相対的に低く、個人的達成動機が相対的に高い、と考えることができる。しかし、個人的達成動機の高さは、他者にはわかりにくく、外見的にはやる気が低下しているように見えよう。

大人側の責任

また、世代間交流活動研究会の『青少年の高齢者等に対する意識調査等の結果について』（一九九九年）によれば、「あなたの身の回りには『あのようになりたい』と思う大人がいますか」という質問に対して、「いない」と答えたのは、小学四年生で一五・三パーセント、小学六年生で一九・八パーセント、中学二年生で二八・四パーセント、高校二年生では三〇・五パーセントと年齢があがるにつれて増大していた。この事実は、彼らが成長するにしたがって、あこがれのモデルがいなくなることを意味し、このようなことも夢を喪失させることに関係している。なぜなら、人は「〇〇のようになりたい」という場合、抽象的な仕事の内容というよりも、具体的な身近な人物を目標として夢を描くことが少なくないからである。

それゆえ、子どもたちが大志を抱こうとしないのは、大人側にも責任があろう。子どもや若者たちが大きな志を抱こうにも、周りにモデルとなる大人が存在しない。現実には存在しているのかもしれないが、彼らが憧れを持つようなコミュニケーションがうまくなされていないのだろう。子どもや若者が将来への志を持つためには、周りの身近な大人が自分や他の大人についての生き様を十分開陳し、子どもたちの心を奮わせる働きかけが必要である。若者が志を持つためには、将来のモデルについて見聞きすることを通しての一種の感動体験が必要不可欠であろう。しかし、現在の大人たちはそれを伝える責任を放棄したり、回避したりしているのかもしれない。

昔と今の大学生

筆者が学生の頃の一九六〇年代の大学には、どの学部にも学生たちの自治会があり、教室には毎日のように、政治的なビラが机や床の上に雑然と散在していた。当時はちょうど、大学紛争の最中でもあった。授業の時間帯であるか否かに関係なく、キャンパスの片隅や校門で学生たちのアジ演説が行われ、その後、学外のデモにでかけることも日常茶飯事であった。人により程度の差はあるが、その頃の学生でデモに一度も参加したことがないというのは、きわめて稀であろう。

しかし、今、大学にその面影はない。特定の思想や政党を支持する新聞や、マルクスだのレーニンだのといった人の名前がしばしば登場する雑誌が山積みにされていた昔の自治会室は、現在では漫画およびファッションや料理、旅行等の週刊誌が並ぶ学生たちのサロンに様変わりしている。

今の大学生は自分自身のことには大いに関心を持っているが、社会のことにはほとんど無関心と言ってよい。特に政治には関心がなく、自分の身近な問題としては捉えていない。もちろん、中にはボランティア活動等に精を出す人もいるが、多くは学生時代の時間の大部分を自分の趣味や友人との友好に当てている。

集団を避ける若者たち

そもそも現代の学生は、クラスなりグループなりを自ら組織することが大の苦手である。リーダー不在なので、まとまって行動することはなく、同じ学科を専攻している者同士でも一度も会話しないで卒業することも珍しくない。彼らは全体のために働くことに対し、煩わしさを露わにする。明確な役割が与えられる組織にいることは鬱陶《うっとう》しいようである。

クラブ活動も、肩がこらないリラックスできるところが好まれ、集団競技で一人一人の責任が問われるところは避けられる傾向がある。例えばテニスをする場合も、同好会で気軽にやれるところは部員が増大しているが、運動部として競技大会を目指して激しい練習をするところは嫌われる。特に、つらい苦しい試練を伴うクラブ、例えば、山岳部やワンダーフォーゲル部というようなクラブは、どの大学でも崩壊寸前という。また、女性との接触がほとんどない男声合唱団などは、どの大学でも衰退の一途を辿《たど》っている。男女混合が好まれるということで言えば、大学でも、女子大などは人気がなくなり、男女共学に鞍替えしているところも少なくない。大学は異性と楽しむ要素がないと魅力がないという傾向が生じていることは事実であろう。

小川豊昭氏らの名古屋大学でのサークル加入者の推移に関する調査によれば、図2－1

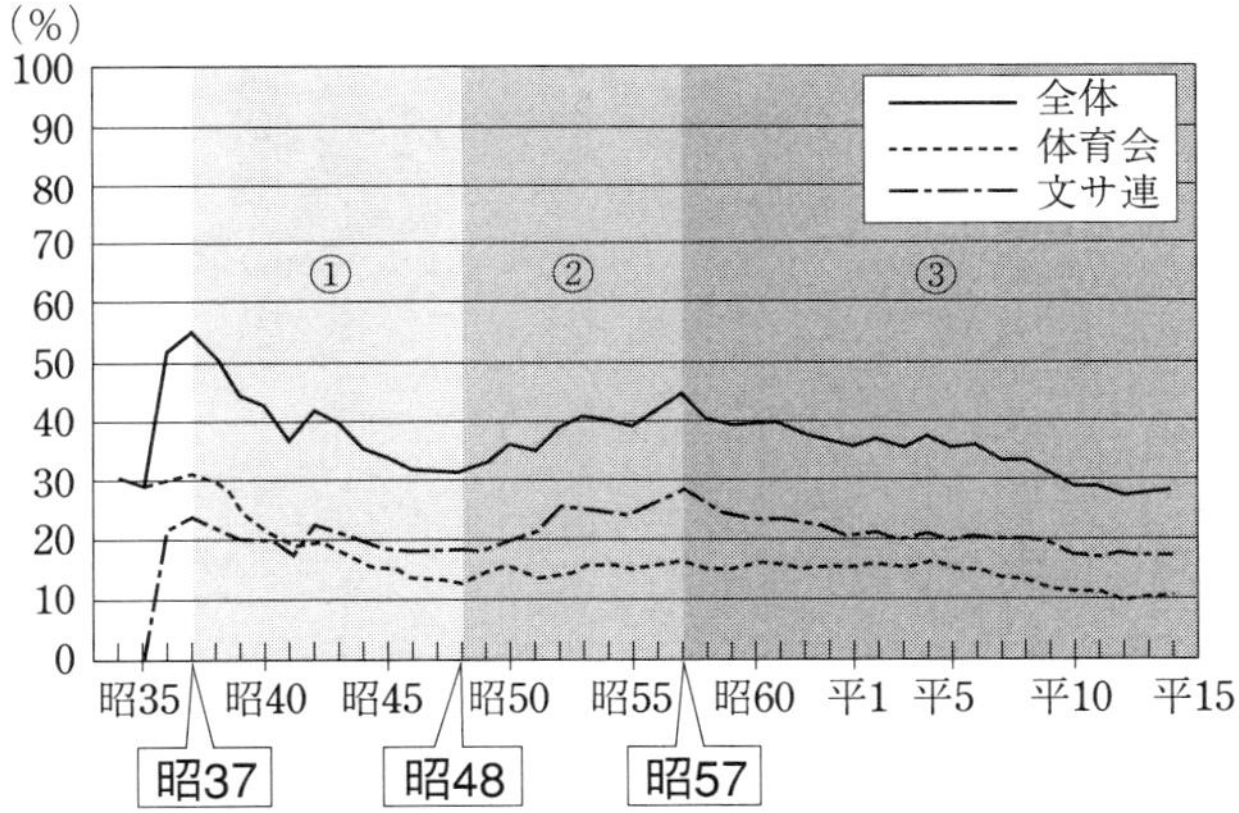

図 2-1　学生のサークル加入率

のようになるという（「名古屋大学における現代学生の対人関係について」名古屋大学学生相談総合センター紀要、三）。この論文によると、①急減期（昭和三七～四八年）、②復活期（昭和四八～五七年）、③漸減期（昭和五七年～現在）に区分されているが、特にこの二〇年ほどは体育会も文化サークル連合も加入数が減少の一途を辿っていることは明らかである。

さらに、加入者数が上昇、下降、安定しているサークルに分類することが試みられている。下降群に分類されているのは、集団で力を合わせて行う必要のある競技や活動であり、忍耐や鍛錬の要素が強いもので、体育会では応援団、日本拳法部、ヨット部など、文化部では男声合唱団、名大新聞社、劇団などである。一方、上昇群に分類されるのは、個人的な技を中心に構成される競技や活動で、運動部では弓道部、陸上競技部などであり、文化部では軽音楽部、水彩部、天体研究部などであった。これは上述した推測が正しいことを物語っており、学生の志向が集団化を嫌い、個人化していることを意味している。

同じ論文の中で、大学一、二年生の担任教員に、クラスのまとまりが教員自身の学生時代に比較してどう変化したかという観点から尋ねた結果が示されている。その結果、教員の年齢が高いほど、すなわち学生との年齢が離れるほど、「まとまりがなくなった」とする回答が多い。このことも最近の若者の個人化傾向を表す結果と言えるが、教員の年齢により学生への見方が若干異なるのも興味深い。

大学生の内的エネルギーの減少

これらから推測されるのは、大学生の内的エネルギーの減少である。もちろんこれは、何をもって内的エネルギーとするか、あるいはどの方向に向けられたエネルギーを内的エネルギーと見るかによって異なる。ここで私が言う内的エネルギーとは、人間の将来のよりよい生活に向けて、本人の内部から繰り出される力である。それは単に自分だけの幸せを目標としたものではない。正直なところ、昔の学生たちの内的エネルギーを投じたさまざまな活動が、本当に実を結んだかどうかは疑問である。いや、空回りした部分の方が多かっただろう。しかし少なくとも、自分たちの力で、僅かでもよりよい人間社会にしていこうという気負いは、現在の学生たちより強かったと考えられる。当時の学生たちは、将来に向けて前のめりの姿勢で動いていた。内的エネルギーが人を前へ前へと押し出していた。

しかし、今の学生たちは前のめりの姿勢ではない。あまり気張っていないと言う方がよいかもしれないが、一定の方向にエネルギーを思い切って投入するというよりも、よく言えばバランスよくエネルギーを放出している。大学の授業だけを見れば、特に最近の学生の出席率はすこぶるよくなっており、昔の学生のように、朝から雀荘に出かけたりする無茶な学生は、少なくなった。適当に勉強をして、親しい者同士の飲み会や旅行などを中心に、毎日の生活を楽しく工夫して過ごしている。ある意味ではより堅実な生き方をするようになったのかもしれない。現在の大学生にこれからの目標やそれに伴う下位目標を尋ねたところ、典型例として次のようなものが見られた。

「目標はマイホームを建てて、愛犬を飼い、心穏やかな老後を送ること。そのために勉強をきちんとやり、留年しないように確実に単位をとり、大学を卒業する。それから大学院に行き、研究能力を高め、その後、将来性のある企業に就職する。節約してお金をためて、ある程度たまったら、ローンで家を購入する。しかし、あまり苦労して病気にかかったりすると、目標達成ができなくなるので、日頃から適度な運動とバランスのとれた食事をとり、節約中でも、気分転換に旅行に行き、健康を維持できるように努力する。仕事と私生活を充分に満喫したら、六十五歳ぐらいで退職する。退職後、犬を飼い、少しお金をかけて心穏やかにゆっくり老後の生活を送る」

このようにきわめて温和にバランスよく生きようとする姿勢がうかがわれるが、内的エネルギーの強さはあまり感じられない。

僕の長所って何？

現在実施されている新しい学習指導要領では、できるだけ個人の長所を認め、肯定的に評価してやることが基本とされている。しかし、私が数年前、経験豊かな小・中・高等学校の現場の先生を対象に認定講習をした折に、数人の先生が声を揃えて、最近の子どもの特徴として自分の長所が言えない子が多いと指摘した。

その先生たちによれば、子どもに自分の長所を書いてみようと用紙を渡したり、直接質問してみても、何分待っても答が返ってこない場合が多いという。そこでグループをつくって、仲間が相互に長所を言い合う場を設定する。しかし、仲間から自分の長所を言われてもきょとんとして、素直に喜び、受容するということができない子も少なくなかったようだ。これに対して、少数の先生からは、今の子どもは仲間の前で自分の長所などを躊《ちゅう》躇《ちょ》なく口にしたら、後でイジメにあうかもしれない、と心配しているためではないかとの見方も述べられた。しかし、はたしてそれだけだろうか。

今の子どもたちは昔の子どもたちに比べて、何がよくできて何がよくできないのか、といった明確な評価を、学校という枠内で受ける機会が、意外と少ないのかもしれない。昔は足が速ければ、運動会の徒競走で一等賞の商品を授与されて自尊感情を高めたが、今は子どもたちの人権を守るという建前で、勝ち負けが明確にならないさまざまな教育的配慮がなされている。

学習についても、昔は相対評価が基本で、どの子どもも、自分の成績がそれぞれの教科でどの位置にあるのかを、かなり明確なかたちで知ることができた。しかし、現在は一つの科目についてもさまざまな角度から多面的な評価がなされ、しかもそれが絶対評価とされている。誰の通知表もかなり好意的な評価が記される傾向の中で、自分は何が得意で何が不得意かと、その通知表だけを見て答えることは、子どもにとって意外とむずかしいことなのかもしれない。

さらに、子どもたちが自分の長所が言えなくなっている別の理由としては、人との接触が少なくなり、直接言葉で褒められたり叱られたりする機会が少なくなったことが挙げられる。昔の子どもたちは集団で遊ぶことで、自分は何が優れ、何が劣っているのかを、自然に学習することができた。また、家庭には兄弟がいたので、自分と比較することが容易だった。そして、それは必ずしもいいことではなかったが、昔の人たちは、比較したことを簡単に素直に口にした。そういう意味では、昔の子どもの方が自分の長所がわかるしくみが単純明快であったと言える。

子どもに距離を置く教師

相対比較の機会の減少は、むろん能力的なことばかりではない。性格的な側面についても、昔は多くの子どもたちと遊ぶうちに自然に比較対照している場合が多かった。そのため、自分が他者に好かれる点や、嫌われる点についても、知る機会が多かったように思われる。大勢の人たちから受けた率直な性格についての評価は、本人自身にとって確信の持てるものになったのだろう。

だが、現在では、子どもの性格について何らかの現実的な評価を与えているのは、親だけかもしれない。しかし、日本の親たちは、伝統的に褒めるのが苦手で、欠点ばかり指摘する傾向がある。他方、先生たちは、自分の子どもが批判されることに過敏な現代の親との衝突やトラブルを回避しようとして、子どもの性格的側面に指導や注意を与えることを控える傾向にある。また、現代のクラス仲間は、陰で悪口を言うが、素直に仲間を称えたり、逆に面と向かって誠実に相手の欠点を指摘するというようなことは、少なくなっているように思われる。

先にも指摘したように、最近では文部科学省の指示もあり、通知表には行動の記録として、できるだけ個人の長所に着目して評価することが実行されているが、先生の日常的な子どもへの対応とその評価が一致しないために、子ども自身がその評価を素直に受け止められないのではなかろうか。

現代では「個性重視」という名目のもと、横並びで一律に行う対応には子どもたちは否定的である。そこで個に応じた対応を配慮するあまり、クラス全体の前で皆に語りかけることが限定され、特定の子どもの名前を挙げて褒めたり叱ったりすることが少なくなった。

そのため心理的親密さという意味では、子どもと先生の間に一定の距離が生じたのではあるまいか。一人ひとりの子どもたちが傷つくのを恐れるあまり、先生たちは遠慮がちで、裸でぶつかるということが少なくなったように見える。裸でぶつかっていれば自然に見えてくる子どもの長所・短所が、先生自身に見えにくくなっているのかもしれない。それは、率直に子どもにものを言ったり評価することが、親の不満を高め、教育の場を複雑にさせ混乱させるという恐れを先生自身が抱いているためでもあろう。とにかく、もっと大らかに子どもを褒めたり、叱ったりすることがなされていれば、子どもたち自身は自分の長所を明確に認識できるのではなかろうか。

そして、子どもたちに自分の長所が見えないことは、当然、自信のなさにつながろう。

子どもや若者に蔓延する鬱

リストラ問題等に関して中高年層の鬱《うつ》が問題にされることが多いが、最近は子どもでさえ鬱になる割合が増加している。「子どもは純粋無垢でいつも元気はつらつ」というのは昔のことかもしれない。自分一人で考え込み、自分をどんどん奥へ奥へと追いやってしまい、自分の世界にこもり、他者と接触できなくなるような子どもたちが増えているようである。

黒田祐二氏らの紹介によれば、名古屋大学医学部小児科の調査で外来患者の中に占める抑鬱《よくうつ》の割合は、一九七一年では一・五パーセントだったのに、一〇年後には七・八パーセントに増加したという（「子どもの抑うつ研究の概観」筑波大学心理学研究、二三巻）。また小・中学生を対象に抑鬱を検討した調査では、抑鬱と見なされる割合は、小学生が一三・三パーセント、中学生が二一・九パーセントであったという報告もあるという。

さらに二〇〇三年の北海道での調査でも、小学生で七・八パーセント、中学生は二二・八パーセント、全体でならせば、一三パーセントは抑鬱傾向があると判定された（「朝日新聞」二〇〇四年一一月一日夕刊）。スウェーデンで九四年に同様の調査が実施された結果では、小・中学生は七パーセントであったというから、我が国の小・中学生の抑鬱傾向の高さがわかる。

抑鬱傾向の子どもは小さなことですぐに傷つきめそめそする。そして、気分が沈みがちでしばしばため息をつく。ひどい場合には強い罪悪感を持ち、「死にたい」とさえ言うようである。鬱病自体は遺伝的なものもあると言われるが、これだけ子どもの鬱が増加しているのは何らかの社会的要因が影響しているにちがいない。子どもにとって、社会自体が客観的な意味で生きにくくなっていることも考えられるが、主観的に生きにくさを感じるような育てられ方をしてきたためかもしれない。

鬱に陥る前段階としては無気力が想定される。そして、無気力に陥るには当然、それなりの体験があろう。学業において思うような成績がとれずに、無気力になることもあるが、現代の中・高校生では、むしろ人間関係がうまくいかなくて、無気力になる人が多いのではなかろうか。無気力は、自分なりに外界に働きかけても、ことごとくうまくいかず、自分の努力が行動したなりの結果に結びつかない場合に生じやすい。しかし、無気力に到るまでにどこまで踏ん張れるかには、個人差が存在する。それは単純に言えば、打たれ強いとか、我慢強いということになろうが、現代の中・高校生はそのような耐性が弱く、少しのことで傷つきやすいために、年輩者が不思議に思うような小さな体験からでも、無気力になり鬱に陥ることがある。これまで仲のよかった友達から突然避けられたというようなことから急に落ち込む生徒も少なくない。

溝上慎一《みぞかみしんいち》氏によれば、「ユニバーシティ・ブルー」という言葉もあり、現代のふつうの大学生の多くも、憂鬱な感情をいだいているのかもしれないという（『現代大学生論―ユニバーシティ・ブルーの風に揺れる』ＮＨＫブックス）。しかし、それは彼ら自身の責任によるものではない。氏によれば、現代の大学生は、アウトサイド・インからインサイド・アウトによる生き方を求められているという。筆者の解釈によればアウトサイド・インとは、まず大人社会の価値基準に従って自己形成することであるのに対して、インサイド・アウトとは、まず自分の価値基準に従って自己形成することと考えられる。最近ではアウトサイド・インで基準にすべき大人社会が不安定になり、たとえアウトサイド・インしても、青年の将来・人生は、大人によって必ずしも保証されなくなったという。そのため、現代の若者は、やりたいことや将来の目標を自ら探して、自己責任のもとに人生を形成することを社会から求められているのである。しかし、この自らを見定める作業は実はきわめて困難で、それが若者に一種の憂鬱をもたらしているというのである。

憂鬱な感情が支配すれば動機づけが低下するのは必然である。しかし、それは生きづらい現代社会だけの問題であろうか。たとえ社会の問題であるとしても、社会を構成するのは人間一人ひとりであり、本人自身の責任に帰せられる部分がないとは言えない。

第三章——他者を軽視する人々

「自分以外はバカ」の時代

ノンフィクション作家の吉岡忍氏は新聞に「『自分以外はバカ』の時代」という小論を寄せている（「朝日新聞」二〇〇三年七月九日夕刊）。氏によれば、数年来、この国から地域社会と企業社会が蒸発し、人々がばらばらに暮らすようになったという。しかし、この地域社会と企業社会は戦後半世紀、よい意味でも悪い意味でもこの国を経済大国に向けて駆動してきた車の両輪だった。そして今、そこで暮らす人々の声に耳を傾けてみれば、お互いがののしり合って「自分以外はみんなバカ」と言っている声が聞こえてくるような状況を迎えているというのである。

高度産業社会では、誰もが何かの専門を学んで各人がプロ意識を持つために、それが一人の個人を全体として有能な人物としてみなすことになり、相対的に他者をバカにすることに繋がっているのかもしれない。そして氏は、現代人にとって、自分以外は皆バカなのだから、お互いに誰かに同情したり共感したりすることもない殺伐とした社会が到来する、と暗鬱な予感を抱いているのである。

この記事の掲載後二ヵ月ほどして雑誌「ＡＥＲＡ」にもこれに関連した文章が載せられた（二〇〇三年九月八日号）。そこには、自分以外はバカと見なして行動しているさまざまな現代人が描かれている。例えば、国民生活センター相談部の人の話によると、エゴむき出しの消費者で、相談員の話を聞かず、思い込みで相手の非をまくしたて、自分の非は一切認めず、すべて相手が悪いと訴える人たち、互いに譲りあいながら解決することを嫌がり、自分の要求をすべてのんでほしいという勝手な人たちが、確実に増えているという。

また、航空各社がつくる定期航空協会によれば、機内での客室乗務員への暴言や暴力をはじめとする「迷惑行為」はこの四年間（二〇〇〇年〜二〇〇三年と考えられる）で五倍に急増しているという。迷惑行為をする人は周囲の状況、社会の常識はまったく無視し、自分だけのルールで行動し、それを否定されるとすごく攻撃的になるようだ。

さらに会社などでは、最近の成果主義の悪影響で上司や同僚をバカにする社員も増えているという。それは、もはや会社では同僚を批判しないと自らを守れない、成果主義の下《もと》では同僚の頑張りを認めることは自分の評価が下がるのを認めることになる、自分の評価が悪かったとしてもちゃんと評価してくれない上司が悪いと思いたいから、などの理由によるという。

九〇年代以降、国際競争力をつけるために日本人はもっと自分を主張せよと言われ続けてきた。そのことが、「人の欠点をはっきり言う人のほうが有能」「先に指摘したほうが勝ち」という風潮を生み、「日本人は『あら探し』をすることがうまくなった」とまで言われるようになったという。

親の問題行動

さて、私の身近な教育問題に目を転じてみると、教育現場でも、親たちが先生や学校をバカにするケースが昨今増えている。以下は現場の先生から聞いた事例である。

ケース一　勉強は家庭で面倒を見ますから……

入学後初めての中学一学年保護者会（保護者全体と学年団の先生との全体懇談の場）で、ある保護者が、「この素晴らしい環境と雰囲気の学校に入学することができて本当によかったと思います。合格が決まってすぐ、春休みから○○塾に行かせていて、勉強は親の方でしっかり面倒を見ています。でも、少人数で家庭的な雰囲気があり、自由で自主性を重んじる校風のこの学校に入れて本当に満足しています……」と発言。これは学校の授業にまったく期待していない親の姿が窺《うかが》われ、学校の授業では学習指導は十分でないことが当然と考えており、学校や先生をバカにしているケースと言える。

ケース二　「担任がハズレ」発言

親たちは先生の仕事ぶりや人柄を評価せず、「自分の子どもを高く評価してくれた先生」＝「良い先生」、「自分の子どもを高く評価してくれなかった先生」＝「悪い先生」と、一方的に先生の品定めをする。保護者面談などのときにも「小学校のときの先生がハズレばかりで……」とか「去年の数学の先生はハズレだったけど、今年はまぁマシ」などと、「ハズレ」などの表現を使い、平気で先生を評価する。これは先生の全体像をよく知っていないにもかかわらず、自分たちの都合だけで先生を、まるで客として購入した商品のように勝手に品定めする態度である。子どもがお世話になっているなどという発想は、このような親たちにはほとんどない。

ケース三　家族旅行で学校を欠席

私事的な都合で勝手に子どもに学校を休ませる親が増えている、それも当たり前のように。例えば、七月一九日で学校が終わり、二〇日から夏休みだとする。「家族旅行に行くので、一九日から休ませて頂きます。夏休み前の一九日までだと航空運賃（旅行代金）がグンと安いので、思いきって学校は休ませてもらいます」という電話がよくある。一学期最後の一九日に通知表やその他配布物を配ることが多いのだが、「何かもらうものがあれば、郵送してくれませんか」と平気で要求する。これは、学校の制度よりも明らかに家族の都合を優先させたものと言える。学校や先生を、公共サービスの一環としてしか認識していないのかもしれない。

これらは子どもの親が先生をバカにしたケースであるが、そのような親のもとで育つ子どもが先生を尊敬できなくなるのは当然かもしれない。

平然とする若者たち

傍若無人《ぼうじゃくぶじん》で傲慢と見えるような若者の行動も多い。例えば、通勤途中で、毎日のように若者たちの行動を訝《いぶか》しく思い、かつ不快に思っている人は、少なくないように思われる。注意のアナウンスを全く無視した、車内での携帯電話の使用は日常茶飯事であるが、人が行き交い混雑する駅の階段の通路で、高校生が男女関係なく制服のまま座り込み、物を散らかし飲食している姿には閉口する。彼らには通行人である「他者の存在」が目に入っていないように見える。自分たちのしていることだけに集中しているのか、他者を無視しているかのどちらかである。

地下鉄車内でこんな光景を見かけたことがある。日曜日で車内は比較的閑散としていたこともあり、多くの人はかなり間隔を空けて座っていた。二〇代のOL風の女性も荷物を座席に置いてゆったり座っていた一人であった。電車が最も乗降客の多い駅に着いたとき、二人の私服の女子中学生が座席を得ようと小走りに、その女性の横の空席目指して乗り込んできた。彼女らは二人一緒に腰を降ろそうとするが十分な広さでなく「二人は無理だね」と小声で繰り返している。

そのとき、座席の女性は、中学生の声が聞こえているはずで、少し詰めてやればよいものを、その女子中学生の顔を眺めるだけ。一方、中学生たちもその女性に向かって「詰めていただけませんか」という言葉を発しようともせず、先の言葉をその女性の前で何度も繰り返すだけである。私はそこに「詰めてまで座らせる必要はない」とする気持ちと「詰めるのが当然だ、しかし、頭など下げたくない」という両者の意識がせめぎ合っているのを、見たような気がした。両者とも自分に非があるとは決して思っていない、相手が行動修正すべきだという目をしていた。

また、これは最近、知り合いのあるお年寄りから聞いた話だが、彼女が農作業を終え、狭い農道を自転車の荷台に農作物を載せ、押して歩いていたという。すると向こうから、女子中学生が何人か大声で語らいながら横一列に並んで歩いてきた。だんだん双方の距離が詰まってきたが、中学生たちはそのお年寄りが視界に入っていないわけではないのに、平然として道いっぱいに広がって歩いてきて、そのお年寄りのために全く道を空けようとしなかったという。そこでお年寄りはやむをえず、傍らの畑の端に自転車を寄せ、彼女らが通り過ぎるのを待ったらしい。

学校場面での生徒と先生の関係を眺めてみれば、現在の若者たちが昔に比べていかに「平然としているか」がわかる。先生からの注意やいわゆるお説教に対して、以前の生徒たちは頭を垂れて聞くことが多かった。つまり、私が子どもの頃、たとえ先生が不条理なことを言っていたとしても、少なくとも表面的にはそれを受け入れる姿勢やふりをしたものだった。

しかし、今は違う。先生が不条理なことを言おうものなら当然反発するし、たとえ先生が理にかなうことを言ったとしても、それに抵抗し、自分の正当性を主張する者は少なくない。昔のクラブ活動などでは、東京オリンピックのとき女子バレーを優勝に導いた鬼の大松（大松博文監督）的な「俺についてこい」式の顧問の先生が生徒を引っ張ることで、クラブの活動自体が活性化して、生徒も燃えていた。しかし、最近はそのようなやり方は、漸次通用しなくなり、先生が生徒自身の決定に任せることが多くなった。今の若者は自分たちで決めた規則には従うが、他者から押しつけられたことにはきわめて強い抵抗を示すからだ。

社会的迷惑行為が増える理由

先に挙げた若者たちの例などは、周囲に悪影響を及ぼす社会的迷惑行為の例でもあるが、この類《たぐい》の行為をする者が、若者の間で特に急増している。社会的迷惑行為にいたる若者たちが、社会規範に対して無知であるとは思われない。社会規範を知っているかいないかの違いではなく、社会規範を重視するか軽視するかの違いであると言える。つまり社会的迷惑行為が多いということは社会規範を軽視していることに他ならない。社会規範の軽視ということは、社会を軽視することに等しい。

よく言われるように、最近の若者は関心が自分だけに集中し、社会や他者への関心はきわめて薄い。まずもって自分の欲求を充足させることだけで頭がいっぱいで、他人が自分の行為をどう受けとめているかに、思いを巡らすことができないのである。

一方、昔の若者は一定の年齢以上になると他者の目が気になった。それは、子どもの頃から父親や先生などの権威ある他者からさまざまな行動の制限を受けてきて、それを破ることが大きな罰に繋がるという意識が内面化されていた結果かもしれない。一定の年齢になれば自分を監視する目を自分自身の中に強く意識するようになるためと思われる。つまり、現代の若者に社会的迷惑行為が多いのは、自分自身を監視する注意力が発達していないからであろう。

さらに社会的迷惑行為が生じるのは、現代の若者が、自分に直接関係のない人間を軽く見ているという心性の表れではないかと思う。彼らにとって赤の他人というのは、物体のようにしか受けとめられていないのではなかろうか。自分と同じように心があり感情がある存在であると、どれだけの若者が認識しているだろうか。他者に対する関心の希薄さそのものを、若者たち自身が意識しているかどうかはわからない。しかし、こういう若者に限って、自分の迷惑行為を迷惑と感じないのに、他者の迷惑行為に対しては敏感に反応するように思われる。これもおそらく、自分の方が大きい、立派だという気持ちが無意識に働くことによって、相手を強く非難することになるのだろう。

ところで、このような社会的迷惑行為が増大する背景として吉田俊和氏らは、第一に、共同体社会の崩壊と生活空間の拡大により、相互監視システムが機能しなくなったこと、第二に、情報化社会への移行により、価値観の多様化が進み、個人の価値判断が優先される社会になったことを挙げている(「社会的迷惑に関する研究(1)」名古屋大学教育学部紀要、心理学、四六巻)。

かつての地域社会の中では、大人も子どもも相互に顔見知りで、よその子どもの迷惑行為に対しても、大人が注意するのが当然であったが、現代ではよく知らない子どもに対しては、なかなか注意もできないという事情がある。また、個人の価値観の尊重の原則を履き違えて、自分の思うようにすればよいという風潮が若者の間に流布し、数々の迷惑行為を生じさせている節がある。

薄れる罪悪感

中里至正《よしまさ》氏らは、一九八九年と一九九四年の中・高校生を対象にして、「学校をさぼる」「万引きをする」などの非行に対する許容性を比較調査し、非行に対する許容性が、五年間で増大していることを見出した（『異質な日本の若者たち―世界の中高生の思いやり意識―』ブレーン出版）。さらに、「人に嘘をつく」、「人を困らせる」等の行為に対する罪悪感は、漸次薄れていることも指摘している。

罪悪感が薄れているのは、神仏や迷信といった非科学的なものの影響が弱まっているためかもしれない。子どもの頃、祖父母から、嘘をつく人間や悪事に走る人間は、きっと天の報いがあるとか、地獄に堕《お》ちるとかいう話を聞いた覚えがあるが、そのように恐ろしいものを想像させて脅し、悪を抑制することは、最近ではめっきり減った。

ある大学で教員が学生に、他人の自転車や傘を盗んだことがあるかを問うたところ、半数近くが何の抵抗もなく手を挙げたので驚いたという話を聞いたことがある。これらの事実は、現代の若者がいかに規範意識が薄いか、を物語っている。

確かに私自身も、大学で体育館や食堂の傘立てに置いたはずの傘が消えていたという経験が教員になってから一度ならずある。しかし、いずれの場合も不思議なことに、次の日には元の位置に戻っていた。これは彼らがきわめて軽い気持ちで、一時的に傘を拝借していることを物語っていよう。

道徳心は人間の利害を公平にするように人間の心の中に形成されていくものだが、規範が些細なことであれ平気で破られるならば、他人に迷惑をかけるのは必然であり、道徳心が形成されているとは言えない。

大衆は劣等

四半世紀ほど前に、ある高校生が評判の学者一家に育ちながら、孫を思い、身の回りの世話を細かくやく祖母を「うるさい」と逆恨みして刺し殺し、その直後にビルから飛び降り自殺する事件があった。残された遺書には当時の常識からは想像できない言葉が残されていた。すなわち、その遺書に書かれていた言葉とは「大衆の劣等性のいやらしさ」「エリートをねたむ貧相で無教養で下品な大衆劣等生に知らせるため」「父親に殺された、あの開成高校生に対して低能な大衆は、エリート憎さのあまり行ったエリート批判に対するエリートからの報復攻撃」「馬鹿な大衆め。エリートをねたんだ罰だ。サァー苦しめ」というようなものであった（「読売新聞」一九七九年一月一六日朝刊）。

この遺書から彼が「大衆の劣等性のいやらしさ」として他者を低く評価していることが

分かる。そしてこの心情は、先に述べた、席を決して譲ろうとしないOLや、お年寄りに道を空けようとしない女子中学生のように、自分の周りの知らない他者を軽蔑している若者の傾向と通じるものがある。彼にとって、大衆は下品で無教養で、自分とは異なる人種のようである。そう断定することで自分の価値をつり上げようとしたのだろうか。周りの人の話では彼は友達もほとんどなく、家で一人で本を読むかレコード鑑賞をするのが趣味の、内向的な生徒だったという。このように四半世紀前にも既に若者の中には他者を軽視する傾向が示されていたと言える。

時代は飛ぶが、最近では若者が、弱者であるホームレスの人たちを襲う事件がしばしば生じている。例えば、川崎市では小・中・高等学校の男子生徒一〇人が、市内の公園や駐車場で寝ていた五二歳～六八歳のホームレスの男性三人の頭を、自転車の空気入れで殴るなどして襲う事件が起きた（「朝日新聞」二〇〇三年一〇月一八日朝刊）。調べに対し少年らは、「暇つぶしのゲーム感覚」「ストレス解消のためやった」などと供述しているという。

さらに彼らは「社会のゴミを退治するという感覚だった」というような表現で自らの行動を説明したと報じられている。思い上がりも甚だしいと言わねばならない。もちろん、ホームレスが、社会的に問題がないわけではない。しかし、彼らとてやむをえない事情でそのような生活をしているにすぎない。自分の収入だけで生活できないという点では、襲った小・中・高校生も彼らと同じはずなのに、なぜそのような傲慢《ごうまん》な理由で、平気でホームレスを襲撃したのであろうか。まるで自分たちが正義の味方だと言わんばかりである。

今の子どもは、ある意味では裕福すぎて、毎日の生活費にも困る人の心情についてまったく想像がつかないようである。ホームレスを一瞥《いちべつ》しただけで、自分たちとは異質なものとして衝動的に排除しようとする。彼らにはホームレスを同じ人間として捉えるという姿勢よりも、まず、異なる人間として見下げようとする気持ちが強く働いていたように思われる。

多くの人が貧しかった時代、つまり子どもたち自身が常にひもじい思いをし、汚らしい服装で、衣服も十分でなかった頃は、自分よりさらにひどい状況の人を見て、同情心の方が強く湧いたに違いない。

ホームレスに暴行を働いた生徒のうち、一人の小学生は家庭問題をきっかけに学校を休みがちになり、指導を受けていたようだが、六人の中学生は、いずれも学校では特別に問題視されていたわけでもなく、目立たない存在であったようだ。ごく普通に見える生徒の裏側に、そのような悪魔が潜んでいることこそが問題である。

人は誰でも子どもの頃から、他者にできるだけ否定されないで、できるだけ多く賞賛されて生きたいと願っている。しかし、自分が期待するほどには、他者から賞賛されたり承認されたりしないのが通例である。なぜ、期待値とのズレが大きいかと言えば、現代の子どもたちは少子化の影響を受け、乳幼児の頃は手をかけられたにもかかわらず、小学生や中学生になると周りの人たちは単におだてや励ましだけでわざわざ「ほめる」という行為をしなくなるためである。明確な実績が伴わないと賞賛や承認が得られなくなるのである。

彼らはそのような蓄積する不満を解消するために、無意識のうちに「自分より下」の存在を探し求めているのかもしれない。「自分より下」の存在を徹底的にうち砕くことによって、前章で述べたような萎縮した自尊感情を回復させることができるのである。最近の暴力沙汰を起こす少年には、ごく普通の少年だったり、おとなしい少年であったりする場合が少なくない。彼らは不満をあまり表出しない分、内面にため込み、一気に自尊感情を取り戻そうとすることが、人に対する殺傷行為にまで発展するのではなかろうか。

世の中を震撼《しんかん》させたオウム事件は、今でも多くの人々の記憶に強く焼きついているが、カルト集団の信者たちは教祖である「麻原彰晃」を聖者と敬い、自分たちを彼に従って穢《けが》れた世の中を救済する「選ばれた者」と思い込んでいた。そして、自分たち以外の大衆を「凡夫《ぼんぷ》」とさげすんでいたことは、正に他者軽視であり、そのような心の持ち方が無差別大量殺人テロにまで発展したのである。

他人蔑視の昔と今

半世紀以上も前に、青年心理学者・桂廣介は、若者というものは現実から離れた高い理想を掲げる傾向が強く、その理想主義に支配されて、高い位置から他者や世間一般を批判しやすいことを指摘している（『青年心理学』金子書房）。

「青年は高い理想を尺度として、他人や一般社会を眺める。その高い理想にくらべると、他人の能力や社会の現実はあまりにも低級で汚れたものを感ぜざるを得ない。そこで青年は、それらを軽視する。ところで、外に対する軽蔑は、おのずと相対的に、自尊・自負の情を誘発するのである。その場合、青年は、他人の無力だけに気づいていて、自分もまた現実では、他人と同じように無力であることを顧みるだけの余裕がない」

特に旧制高校の学生が愛唱した寮歌には、彼らの自負の念があふれているものが多い。例えば第一高等学校寮歌「嗚呼玉杯」の歌詞には、「栄華の巷《ちまた》、低く見て」とあり、これは寮から平和ボケした下界を見下ろし、自治の理想と救国の使命感に燃えるエリートの心意気を歌っていると言われているが、一般市民を見下している若者の姿が浮かび上がってくる。

だとすれば、他人蔑視、他者軽視は、若者がいつの時代に生きようとも、ある程度は経験することなのだろうか。かつては特に学問を修めたエリートにあたる青年が、高い理想とのズレによって、他者軽視をする傾向があったと考えられる。しかし、現代生じている他者軽視はこれとはメカニズムが異なるし、殆どの若者が行っていることと考えられる。

現代の多くの若者は、理想主義からは遠い存在である。高い理想を掲げること自体を嘲笑する傾向すら、現代の若者にはある。昔の高い理想を掲げる人たちはそれを目指して生きて行こうとしており、高い動機づけを持ち、生き生きしていた。そして、おそらく自分たちのように理想を持てない人を情けなく思ったのであろう。だからといって、彼らは自分たちが実際に他者に比べて著しく理想に近い状態にあるとは考えなかったものと推察される。だが、理想を掲げ、それに向かっていること自体が、他者に対しての誇りであったようにも思われる。しかし、現在の若者は一般に、内心自信を喪失しており、一種の防衛機制として他者を軽視することで自信を取り戻そうとしているのである。

昔の若者たちは他者軽視するといっても、前述の犯罪を犯した若者たちのように他者を無意味な存在だとか、抹消すべきだなどとは安易に考えていなかったものと思われる。気に入らない相手に対して簡単に「死ね」などという言葉を、若者が発するようになったのは、最近のことではなかろうか。その意味では昔の若者の他者蔑視は、純粋に認知的、評価的なものであるが、近頃の若者の他者蔑視は、どろどろしたネガティブな感情を含んだものと言えるかもしれない。

ピーナッツに見るルーシーとチャーリーの性格

スヌーピーに代表されるシュルツの描く漫画、ピーナッツには対照的な二人の人物、チャーリーとルーシーが登場する。ここでは精神科医ツワルスキーの解説を参考にして二人の性格に注目してみよう（笹野洋子訳『スヌーピーたちの性格心理分析』講談社、笹野洋子訳『スヌーピーたちのいい人間関係学』講談社）。

ルーシーは悪いことが起きても、自分自身は成功していると考えるので弁解する。一方、チャーリーはそれを自分が失敗の原因と考える。例えば、野球でルーシーのフィールディングは、チャーリーのピッチングと同様うまくないが、試合に負けた原因についても彼女は自分の失敗に触れないで、チャーリーのまずさを指摘する。ルーシーのようなタイプはすべて自分が正しいと考えやすい。彼女は自分の誤りに心を痛めることなく、自分の弱点を長所と見なしてしまう。

しかし、自分自身が本当に幸福と感じる人は、周りの人を批判したりけなしたりする必要はない。十分に適応している人たちは、むしろ自分への批判を素直に受け入れることができる。ルーシーのような人たちは、おそらく心のどこかに劣等感を持っているために、他者の小さな欠点も見逃さず、彼らに対して優越者のように振る舞うと考えられる。むろんそのような行動は周りから批判を受けやすく、また彼らはその批判に対して我慢できない。そのため彼らは周りに八つ当たりする傾向がある。彼らは問題を自ら処理することに力を注ぐのでなく、他の人々を攻撃することで切り抜けようとする。

一方、チャーリーも劣等感を持ち、すぐに自分はダメな人間だと考えやすい。ただルーシーと違うのは、他者からの批判を無批判に受け入れてしまい、自分の立場で反論しようとしないことである。

このように見てくるとチャーリーとルーシーは異なっているところもあるが、心の奥に劣等感を持っているという点で類似している。むろん、一般的にはチャーリーの方がルーシーよりも社会的に望ましく好感が持てる。チャーリーは問題を持つとしばしば他者に助けを頼むが、ルーシーはあまりにプライドが高くて他者に助けを求めようとしない。彼女が助けを求めないのは、他者に助けを求めることが自分の弱さを人に露呈することになる、と見ているからだろう。しかし、そのような考え方は改めるべきである。本当のプライドを持つ人は、自らをあるがままにとらえ評価し、必要な時には他者に素直に助けを求めるものだからである。

ルーシーは、外面上は劣等感を見せず、自分がいかに偉いかを、他人ばかりでなく自分

図3−1a

図3−1b

（『スヌーピーたちのいい人間関係学』講談社＋α文庫より）

にも必死で納得させようとする（図3－1a）。そして、内心では自分に対する評価の低いルーシーは、行動上いばるだけでなく、他人をバカにして支配しようとまでする（図3－1b）。そのため傲慢なルーシーは、時々攻撃的になる。他人を支配しようとするばかりか、他人の気持ちや立場をまったく配慮しない。

ルーシーは、たとえ自分に非があっても、自分には罪がないと言い張るだけでなく、責任を他人に押しつけようとする。自らの失敗を失敗と認めず、成功だと主張する。自信のある人は、あちこちで自分の価値を吹聴《ふいちょう》してまわって自分の無知をさらけ出すようなことはしないものだろう。それに対して自信のない人は何でも知っていると吹聴し、とんでもないばかげたことを言いかねない。しかもその横柄な態度と無遠慮な発言で周りから敬遠されがちで、自分から人が離れていくのに、彼らはその原因も自分の性格のせいだとは認めようとしない。

ルーシーが日常的に上機嫌になれないのは、防御の姿勢が強いからであろう。劣等感に苦しんでいるのに、自分の価値の高さを誇示したい人たちは、自分が周りの人間より優れていると思うことで、自尊感情を取り戻そうとする。そのため、周りの人を低く見る必要がある。

このルーシーこそ、最近の若者たちが抱いている他者軽視傾向の性格を持つと言える。

謝らない子ども、親

先生たちの話によると、最近の子どもたちは先生から叱られても素直に謝ろうとしないという。たとえ休み時間に暴れていて不注意で窓ガラスを割って先生からお説教をされても、本人からの謝罪の言葉はなかなか出てこないようだ。彼らはしばしば「自分だけが悪いんじゃない。○○が自分にちょっかいを出したから暴れたのだ、自分だけを責めるのは筋違いだ」と主張する。これはかつての子どもたちとは大きな違いである。

今の子どもたちは、弱者と見なされやすい「叱られる立場」になることをひどく恐れているようにも見える。一度、自分の非を認めてしまうと、その後一貫して弱者の立場に立たねばならない、と考えているのかもしれない。謝ろうとしなくなったのは、先生を畏《おそ》れたり、敬意を払ったりすることが少なくなったことにも関係している。

これは人間誰もが平等であるという考えが過剰に浸透したためかもしれない。その場その場での役割や地位というものが機能せず、あらゆる場面で誰もが同じ地平に並んでいると考えているのかもしれない。しかし、教育という場面で教育者と被教育者の間には一線が引かれなければ教育は成立しがたいだろう。

近年学校では、子どもの暴力あるいは窃盗、飲酒といったことに対する先生の忠告や叱責さえも通じにくくなっている感があるが、それは親の態度に起因する場合も少なくない。ある高校で、ある生徒の喫煙が発覚し、担任の先生から警告を受け、次に彼は学校長からの訓戒を両親と共に受けることになった。ところが、その段階になって親が「子どもに確認したが、自分の子どもはやってないと言う。校長先生からの訓戒は受ける必要がない」と言ってきた。そして子どもも、そのときになりこれまでの自分の言動を翻し、「自分はやってない」と主張し始めた。複数の目撃者が存在しており、事実が明らかなはずであるが、親子が頑として訓戒を受けるのを拒み、結局不問に付されることになったようだ。

このような話は、最近よく耳にする。子どもというよりも、親が率先して学校に謝罪することを強く拒否するのである。親にとって子どもに謝罪させるということは、子どもを「敗者にさせる」ことを意味する。近年では親自身に、たとえ子どもが社会規範を破っても、親のほうが子どもの責にせず、それを強引に突破していこうという姿勢が見られる。ジコチュウが高じたという見方もあるが、昔のように学級仲間や先生のような他者にもっと気を遣う雰囲気があればこのようなことにはならないだろう。また、さまざまな社会的要因によって、子も親も良心そのものが弱体化してきているとも言える。

「謝らない」ということは、たとえ相手に悪いことをしたという意識があっても頭を下げない、という場合も想定できる。それは先にも述べたように、謝ることがこれから先、相手とつきあう上で不利になるのではないかという計算が働くためかもしれない。だとすれば、逆に謝る場合にも、謝っておく方が先々有利に働くからという計算の上だという推論も成り立つ。謝らない方がよいと考えるような社会は、さまざまな事柄が契約で決められる個人主義的な文化が想定され、先に謝る方がよいと考えるような社会は、さまざまな事柄が協力によって成り立つ集団主義的な文化が想定される。その点では、集団主義的な文化であった日本も、個人主義的な文化が優勢な社会にすでに移行してしまったのかもしれない。

さらに「謝らない」というのは、謝るという社会的スキルが育っていないために、本当は謝りたいのに社会的スキルが未熟でどう表現してよいかわからず、逆のかたちで衝動的、攻撃的な行動に出てしまうのではないかということも考えられる。

第四章——自己肯定感を求めて

「並み以上」の感覚

現代の日本社会は、多くの人が自分は並み以上と感じやすい時代なのではなかろうか。その理由として、近年はあらゆるものの選択の幅が広がり、一様に比較することが難しくなったことが挙げられる。物理的な衣食住を考えてみても、同じタイプのものであれば、その優劣関係は比較的明確であるが、タイプが異なると比較は容易ではない。例えば、朝食の上等さについても、同じ和食同士なら比較可能だが、和食と洋食での比較は難しくなる。

若い人たちの服装にしても、一見、その時の流行で同じように見えるが、よくよく見るとそれぞれにどこか個性的なものが感じられる。本人たちは、おそらくそのような個性的な部分で他人より一歩先を行っている、という感覚を味わっているのではなかろうか。住まいにしても、外から見れば同じようなマンションであるが、各人はそれぞれの不動産会社がそれを販売するときの独自のキャッチフレーズなどに結構こだわっており、価格そのものの水準というよりは「リビングが他よりちょっと大きめ」というような独自性から、他の人では簡単に手に入れがたいものを取得しているという感覚に浸っていることが多い。

このように現代社会は選択の幅が広いために、誰もが「オンリーワン」の気分を持ちやすい。オンリーワンというのは独自性があることで、必ずしもより優れていることには繋がらないはずだが、総合的に判断する場合、比較対象がないことで好意的な主観的判断に陥りやすく、誰もが自分が並み以上という感覚を持ちやすい。

現代人の生活水準に関しても、上流と感じている人はさすがに少数であろうが、最頻値は中流の中《ちゅう》にあるのではなく、中流の上あたりにあるのではなかろうか。それは自己評価基準が所有する家や貯蓄だけでなく、車であったり、年間の外国旅行の回数であったりと多様化しているためではないか。

大学生がどの水準の大学に属するかということでも、六―七割の人たちは、自分が並み以上の大学にいると感じているように思われる。もちろん、大学入試センター試験の偏差値で順序づけをすることは可能だが、現実に入学試験で判断基準となるのはそれだけではない。大学、学部独自の指標が用いられることになる。また、AO入試や推薦入試で、大学側が独自の基準で選択を行うこともある。おそらく、人は共通のモノサシだけでは計れない、という見方が存在する。その部分にちゃっかり自分の価値を上積みして、自己価値をつり上げることが可能になる。

ところで、最近の小・中学校における観点別絶対評価は、ある意味では、ここで言う

「誰もが並み以上の感覚」を助長しているのかもしれない。新しい学力観による評価では、個人のよい点に着目して評価することも謳われているし、現実に観点別絶対評価で三段階の一番下をつけることは少ない。これは自尊感情を高めるという点では望ましい評価と言えるだろう。しかし、一方では、誰もが相対評価により客観的に位置づけられないことをよいことに、並み以上の感覚も持ちやすいことは確かであろう。つまり、第二章で述べたように、新しい評価は本人の明確な長所はわかりづらいが、何となく自分は並み以上という感覚を持ちやすいと思われる。

自己愛的性格の浸透

ある女子高校生は、無邪気にも、いつも自分の家族を自慢し、さらに自分の持ち物や衣服を見せびらかす。また、ある大学院生は、客観的に見れば研究が進んでおらず、学術雑誌に論文が掲載されたこともないのに、指導教授に奨学金や就職の推薦書を書いてください、と何の躊躇もなく求めてくる。このような自己愛的な若者が増えていることが、多くの識者によって指摘されるようになって久しい。

青年期における自己愛傾向とは、自分自身への関心の集中と、自信や優越感などの自分自身に対する肯定的感覚、さらにその感覚を維持したいという強い欲求によって特徴づけられる。青年期に特に自己愛が高まるという指摘は、古くからあり、さまざまな理由がある。青年期は独り立ちする時期であるので、自分というものを強く意識し、周りに認めてもらおうとする気持ちが強まるためという見方もある。また、成長するに従い、親からの受け身的な対象愛が満たされなくなるために、自己愛が高まるという見方もある。

発達過程として、青年期が自己愛的であるとの指摘のみならず、最近では、時代を反映する形で、若者はとみに自己愛的になった、との言説もある。例えば、少子化で母子密着が強くなったことで、乳児期の全能感がそのまま持続されるようになったため自己愛が高まったとか、社会的スキルが低下し周囲の仲間との交流が減少した分、内的な幻想が肥大したとの指摘もある。

アメリカの精神科医コフート氏によれば、赤ちゃんにとって誇大自己は、一度は手に入れなければならない「私」の姿である（和田秀樹『〈自己愛〉と〈依存〉の精神分析―コフート心理学入門―』PHP新書）。そして、赤ちゃんの時の誇大自己を手放せないまま大人になったのが、自己愛人格の人たちである。子どもの頃、大人があまりにもかわいがり過ぎることで形成された子どもの自己愛が大人になっても変わらないことはあるだろう。例えば、文豪森鷗外の長女・茉莉《まり》は父親に相当かわいがられたようで、大人になっても自分の子どもの育児は人に任せ、外出したらいつ帰ってくるかわからなかったらしい。子どものとき形成された自己愛が、大人になっても持続していたのである。

そのような人たちは、自分は特別と考え、周りが特別扱いしてくれなかったような場合、「どうしてなのか」と思ったり、怒りやいらだちを感じたり、傷ついたり、劣等感に苛《さいな》まれているようにも見える。あるいは「いまの生活は本当じゃない」と思い、どこかに本当のすばらしい自分があると考え、それを探し求めるという。

この考えに従えば、現代の若者は、赤ちゃんのときの誇大自己をそのまま持続させている人が多いように思われる。昨今の幼児期、児童期での大人の甘いしつけが、自己愛形成の確率を高めていよう。最近では、紙おむつの影響か、おむつのとれる時期も遅くなったと聞くが、母親たちがしつけをすることを放棄するようになった、手抜きするようになったというのが正確かもしれない。すべてを子どもの自由にまかせ、何ら方向性を持った指導をしなければ、誇大自己が温存されても不思議ではないだろう。

また、精神科医香山リカ氏は、自己愛的性格を多重人格者の一側面として次のように述べている（『〈じぶん〉を愛するということ―私探しと自己愛―』講談社現代新書）。

「日本では、多重人格者の別人格の中でも、殺人者や未熟な幼児の人格にはあまり関心が持たれず、芸術的な人格や常人ではできない何かに秀でた人格……の方に目がいってしまう傾向があります。そこには、多重人格になれたら、もしかしたらいまの自分を超えるすばらしい自分がいるかもしれない、いまの私にはできないことができる自分もいるかもしれない、というような気持ちもあるのではないでしょうか。／そう考えてみると、ここにも八〇年代の終わりから続いてきたメッセージ、『いまの自分はほんとうの自分ではないかもしれない。ほんとうの私はどこか別の場所にいるはずだ』『しかもそのほんとうの私はいまよりもっとすばらしい私である』が、見えてきます」

このように、誇大視した自己を何回も想像する間に、現代の普通の若者たちも、膨張した自己をいつのまにか自分の内に宿すことになる。

実は日本人の自己愛傾向はごく最近になって言われ始めたわけではない。かなり以前から指摘されており、若者だけでなくすでに大人たちにも自己愛的傾向はかなり浸透していると考えておくのが妥当だろう。

日本人のポジティブ・イリュージョン現象

実際に存在するもの・ことを、自分に都合よく解釈したり想像したりする精神的イメージや概念がポジティブ・イリュージョンであり、外山美樹氏らの紹介によると、それは自分自身をポジティブに捉える、自分の将来を楽観的に考える、外界に対する自己の統制力を高く判断する、の三領域からなるとされる（「日本人におけるポジティブ・イリュージョン現象」心理学研究、七二巻)。

アメリカでは多くの人々がポジティブ・イリュージョンを持ち、それが精神的健康に繋がると考えている。確かにアメリカなどで短期間でも暮らしてみると、皆がやけに明るく、くよくよせず、楽観的で、元気いっぱい行動していることに驚いてしまう。彼らにとっては、すべてが「ノープロブレム」の世界ではないか、と疑ってしまうようなこともある。一方、日本人は自分のネガティブな側面に目がいきやすく、自己批判的、自己卑下的バイアスを持つ、とこれまで考えられてきた。

ところが近年、日本でも自己高揚的傾向を示す側面が存在することが報告されている。先の外山美樹氏らの研究結果では、日本人の場合、領域によってポジティブ・イリュージョンの有無が異なり、自己に関する調和性や誠実性ではポジティブ・イリュージョンがあり、知性や身体的特徴ではネガティブ・イリュージョンがあったと報告されている。このような結果から推測すると、日本の文化は、現在、西洋的な文化への移行期にあるように思われる。

年齢的に見れば、確かに公《おおやけ》の場での発言も、年輩の人の方が自己批判的、自己卑下的な言動が多く、若くなるにつれて自己肯定的、さらには自己高揚的な言動が多いように思われる。例えば、オリンピックや世界選手権などの大きな試合後のインタビューで、最近の選手は、成績のよし悪しに関係なく、「試合を楽しんだ」というような感想を述べることが多くなった。しかし、以前の国を代表する選手たちは、敗北に際しては相当悲壮な面持ちで、インタビューに対しても重い口調で応じ、あるいは口を閉ざすことも少なくなかった。

また、高校進学や大学進学の場合、最近の生徒たちは、自分の現実の学力とはかなりかけ離れた水準の大学を志望する場合が多いという。そのため、中・高校生なのに、なぜ自分にこれほど甘く、幼児が願望と期待を混同するように非現実的な要求水準をもつのか、と驚く先生も多い。中学や高校になればある程度成績が固定し、短い期間に成績をあげるためには相当な努力を要するというのが事実であるが、彼らはそのような現実をあまり勘案することなく、甘い将来像を描きやすい。

遠藤由美氏は、最近の日本人が、自分は世の中のたいていの人よりは優れている、と考えやすいことを、「消極的自己高揚」と命名している。実際には、大学生を対象にして、まずローゼンバーグ氏の質問紙（56ページ参照）で自尊感情を査定し、その高さで低・中・高の三群に分類した。そして、自己・親友・平均的大学生に対する有能さの評定を求め、それらの間の差を求めた。そこで問題にされたのは、自己についての評定と平均的大学生についての評定の差である。自尊感情低群だけは、自分の方が平均的大学生に比べて、やや有能でないと見なしていたが、自尊感情中および高群では、自分の方が平均的大学生に比べて有能だと考えていた。このような事実からも、極端なものではないが、最近の若者がポジティブ・イリュージョンを抱くようになってきていることが窺える（「消極的自己高揚」日本心理学会第五九回発表論文集）。

高校中退者の楽天主義

村上隆氏らは高校中退に関連する意識調査を行い、中退率の高さと強い関係があったのは「社会化への不安の低さ、根拠のない楽天主義」と言われるものであったとしている。具体的には「目立ちたい」「今の社会は生活しやすいと思う」「何をしてでも生きていけるという自信はある」「自分には、他の人と違った才能があると思う」などであったという（「高校中退に関連する生徒の意識─尺度の構成と基礎的分析─」中等教育研究センター紀要、一二）。

これらは中退者の弁であるにもかかわらず、決して萎縮したものではない。むしろ自己を拡大解釈したもので、甘い自己認識・社会認識が含まれている。中退率が高い高校で、「自分には、他の人と違った才能があると思う」と言うのであるから、彼らの中には、いわゆる「オンリーワン」の夢を抱いている者が多いのかもしれない。おそらく、学校の成績という次元で考えれば、これまでの学習経験から、彼ら自身が特に才能に恵まれているとは考えがたいであろう。そこで彼らは「他の人と違った才能」というものを仮定するのである。「自分には他人にない何か優れたものがあるにちがいない」という思いを信念のようにして抱こうとするのである。

しかし、おそらく、それがどのような才能であるかと問われるならば、彼らは答に窮するであろう。能力の内容はよくわからないが、とにかく自分には何人《なんぴと》にもない特殊な才能があるはずだ、という根拠のない自己肯定をしているのである。前にもふれたように最近の社会では、「オンリーワン」という言葉が流行歌の歌詞にもなり、非常によいイメージが持たれているが、この考えには落とし穴もある。なぜなら、多様な比較の次元を持つことは人間にとって幸福なことではあるが、誰もが勝手に好ましい自己評価をし、自分にもすばらしいところがあるにちがいないという、楽天的な見方を構築しやすいからである。

調査対象となった中退者は、中退したことに対してほとんど、恥ずかしさ、悲しみや悔しさを感じておらず、むしろ平然と堂々としているところに特徴があろう。何十年か前の高校生であれば、中退は恥ずべきものという意識が強く、ある教科に限って赤点を取ることに対してすら、かなり神経質であったように思われる。であるのに、現在このような中退者が増加していることは、高校生全体としても、甘く自己愛的な自己認識をする若者が増加していることを推測させる。

中退率の高い高校の生徒は、「今の社会は生活しやすいと思う」というように現実の社会認識も甘いと言える。確かに歴史的に見れば、現在の社会は生活しやすいであろう。食いはぐれるようなことはないのかもしれない。しかし、長く続いた不況のあおりで、高校卒の生徒への求人倍率が一を大きく割っているという現実もある。フリーターの道もあるが、一生フリーターというわけにもいかないだろう。彼らが社会を軽く見ている感は免れない。また、彼らが今の社会を生活しやすいと感じるのは、決して自分たちの力によるものでなく、親を含めた先代の人々の努力によってもたらされたものであることを認識する必要もあろう。

甘い自己認識、社会認識の結果として、「何をしてでも生きていける自信はある」ということになるのだが、高校生になるまで仕事らしい仕事を何もしたことのない人たちが「何をしてでも」という言葉を、どのように受けとめているのだろうか。高校生にとって、テレビドラマや漫画から推測して、巷には魅力的な仕事があふれているように見えるかもしれない。しかし現実には、高校卒の資格さえない彼らが選択できる仕事の幅は狭いし、大学卒でも仕事にあぶれる時代である、現実的には高校中退者の就職はきわめて厳しい。

可能自己

高校中退者がこのような認識を持つのはなぜなのだろうか。一つには彼らはこれまでの高校生活の、決してそれほど悪くない状況だけから、単純に自分の将来を推測していることによるのではなかろうか。高校卒でなくなったときに、社会が自分たちをこれまでと異なって、どのように判断するかとか、現実にどのような職種があるか、というような認識力に、はなはだ欠けるという言い方もできよう。自分を外側から眺める視点が著しく劣っているのかもしれない。自分を客観視できないから「恥ずかしさ」も感じないのかもしれない。

将来なりうる自己を「可能自己」というが、通常、可能自己にはポジティブな面もネガティブな面も想定される。例えば、「将来仕事についている自分」も想定されれば、「将来仕事が続けられない自分」も想定される。しかし、高校中退者は意外にもポジティブな自己だけを描いているように見える。人は両方の可能自己を持つことで動機づけられるという考え方があり、一方だけの偏った見方をすれば、現実的な就職活動を起こしにくいことになる。

しかし、人は誰もが、将来に対して楽観的になりやすい、という見方も心理学の理論として存在する。人間はコントロールへの強い欲求を持っているので、コントロールと選択の自由がないときでさえそれがあるように認知してしまう。社会心理学者ランガー氏のコントロール錯覚の理論によると、人間は生活上の重要な出来事をコントロールできると感じる必要があり、ほとんどの人が非現実的に将来に対して楽観的で、日常的出来事のうちコントロールできないものより、コントロールできるものの量を誇大に認識する傾向がある。氏によると、優れた大学生ですらゲームにおけるチャンスの到来をコントロールできると信じていたという。宝くじのナンバーズで遊ぶ際には、自分自身で番号を選んだ場合に、番号を指定された場合よりもその勝つ確率が実際には高まらないにもかかわらず、そのくじを売りたがらない傾向にあったという (Langer,E.J. *The psychology of control.* Beverly Hills, Sage)。

自己肯定の不安定さと他者軽視

ここでは多くの人々が自己肯定感を求めようとしている時代であることを、例を挙げて述べてきた。しかし、本章で示した自己肯定感の例はいずれもホンモノの自己肯定感とは少し異なるもののように思われる。ホンモノの自己肯定感というのは、長い年月をかけて本人の努力の結果として獲得したもので、安定したものと考えられる。それに比べるとここで示した自己肯定感は、自分の確固たる経験に基づかない、社会の雰囲気や運に左右された主観的で不安定なもののように見える。

現代は社会そのものに、自己否定する人を避け自己肯定する人を受容する方向性が強まったが、現実には誰もが自己肯定できる行動をとれるわけではない。人間の行動に失敗やしくじり、間違いが生じるのは今も昔も変わりはない。そのような現実の中で自己肯定感をえるのにはなんらかの自らの心理的仕掛けが必要になる。それが自己愛やポジティブ・イリュージョンや楽天主義なのかもしれない。

しかし私は、最も注目すべき心理的仕掛けは前章で見た他者軽視傾向から発する自己肯定感だと考えている。次章ではそれについて述べていこう。

第五章——人々の心に潜む仮想的有能感

他者軽視と仮想的有能感のメカニズム

前章で現代は誰もがこぞって自己肯定感を求める時代であることを見てきた。そして、その自己肯定感の中には特に他者軽視を通して生じる偽りのプライドがあることにも触れた。これを「仮想的有能感」と呼ぶことにする。この「仮想的有能感」という言葉は私の造語である。過去の実績や経験に基づくことなく、他者の能力を低く見積もることに伴って生じる本物でない有能感という意味で、「仮想的」有能感と名づけた。

この仮想的有能感という概念を用いることで、これまで見てきた、他者を教養のない者と見なす人とか、ホームレスを社会のゴミと見なして攻撃した若者たち、自分以外はみんなバカだと思う現代人、そして、自分の失敗を認めず、チャーリーのせいにするルーシーのような行動傾向が説明できるように思われる。彼らはすべて、外面的には横柄な態度や行動を示す。これは仮想的有能感を有しているからに違いない。彼らに共通しているのは他者との親密な人間関係が形成されておらず他者を軽視していることである。

彼らは、勝手に他者の能力を軽視することで、偽りのプライド、すなわち仮想的有能感を抱いて行動するのである。これは彼らの中に無意識的に生じる自己防衛的機制とも考えられる。それは、人は誰も常に優れた存在でいたい、人から認められる存在でありたいと思っているためでもある。これまで述べてきたように、現代の人々は自由な社会の中で自我を膨張させている面がある。しかし、他方では産業構造の変化や厳しい現実から、結果としての夢の喪失、自信の喪失がある。この矛盾が、仮想的有能感形成のメカニズムに寄与していよう。

ところで、他者軽視と仮想的有能感の関係のメカニズムは、次のように考えることができる。すなわち、個人的経験や社会・文化的要因によって、本人にもあまり意識されない形で仮想的有能感が形成されると、対人場面などで他者軽視という態度や行動として表面化する。そして、人をバカにした態度や行動をとることによって、「自分は有能だ」という仮想的有能感が強化される。このような繰り返しの中で、仮想的有能感が一層強固なものになっていく。他者軽視と仮想的有能感は、どちらが原因でどちらが結果というものでなく、相互に影響しあうのである。

ただし、ここで見落としてならないことは、他者軽視と仮想的有能感は完全に一対一対応、表裏一体というわけではない、ということである。他者軽視そのものは仮想的有能感だけでなく、本物の有能感、自信のようなものによっても生じる可能性がある。すなわち、現実はどうであれ、自分の有能さを確信している人が、他者の能力を低く見ることはありうることである。

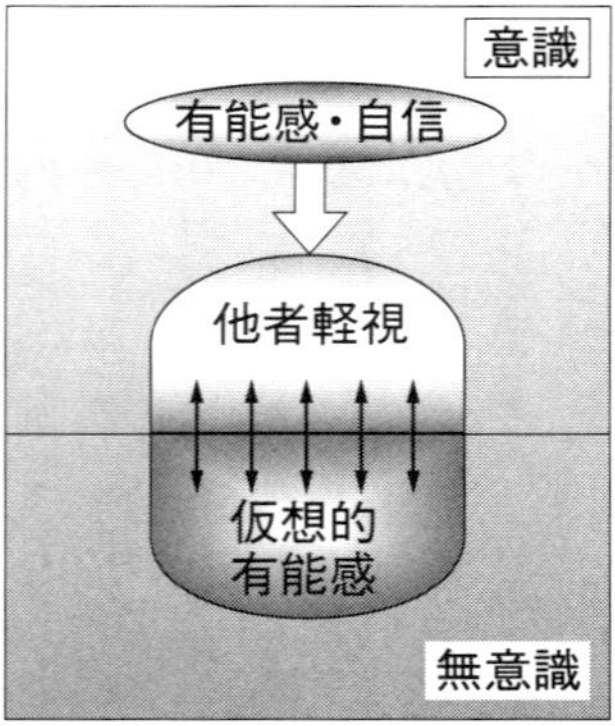

図5-1　他者軽視と仮想的有能感の関係

仮想的有能感を持つと他者軽視をすると考えられるが、他者軽視をする人は仮想的有能感ばかりでなく、本物の有能感を持つ場合もある。これを図式化したものが図5－1である。ただし、この本物の有能感という概念も不明瞭なところがある。なぜなら「有能感」とはあくまで主観的なものだからである。

仮想的有能感が働きやすいケース

さて、この概念の特徴としてさらに注意しておくべきことは、他者軽視は意識されていても、仮想的有能感を本人が持っているかどうかは、意識されていないという点である。おそらく、「バカな人たちだ、ハハハ」「何やってんだ、子どもでもあるまいし、チエッ」というように、他者軽視的内潜的言動が生じたときに、ほぼ自動的に誇らしい快感を瞬時に感じる、それが仮想的有能感の正体と言える。

しかし、多くの人たちはその快感について「自分が負け組であることを意識しないように、先手をうって他者を見下げることで生じた有能感やプライド」などと、自ら意識的・分析的に解釈しようとはしない。本人にとっては、無意識的に生じては消えていく感情なのである。実はこのような感情は、防衛機制的な意味で、一種の適応をコントロールしていると見ることができよう。仮想的有能感は他者軽視という他者評価の裏面に隠された自己評価であるが、認知的なものというよりはむしろ感情的なもので、本人自身には意識しがたいものである。

このような不合理で無意識的な仮想的有能感は、どのような種類の現実行動と繋がりやすいのだろうか。仮想的有能感を持つ人が他者軽視しやすいのは、どのような領域なのだろうか。どんなときに彼らは自分を大きく感じ、どんなときに自分を小さく感じているのだろうか。おそらく、本人のこれまでの経験から明確に推測できることがらに関しては、比較的客観的に見積もらざるをえず、できないことを公然とできるとは言いがたい。一方、その手がかりが曖昧な事象に対しては、仮想的有能感を介在させ、自分を膨らませるかたちで認知しやすいのではなかろうか。

したがって、あまり自分が経験したことのない領域や、自分に対して評価が定まっていない領域で、仮想的有能感は生じやすいと予想される。例えば、「数学の能力」といったものではあまり機能しないが、「将来を見通す能力」などといった漠然としたものに仮想的有能感は反映されやすいと言える。

さらに、「他者」軽視に際して、誰を軽視するのかという点に関しては、能力を熟知している親しい他者については機能しにくく、不特定多数の知らない人たちに対して機能しやすいと考えるのが妥当であろう。殊によく知らない他者の失敗などに対して、容易にその人たちの能力を軽視し、仮想的有能感を感じやすい。

しかし、現実には日常的に接している人たちに対して、仮想的有能感を感じることも少なくない。これは、あまりよく知らない人たちを通して形成された仮想的有能感が転移したものだと考えられる。

下方比較で安心する

他者軽視と仮想的有能感との関係は、他者評価と自己評価の関係として見ることもできる。一人の評価者が行う他者評価と自己評価は、決して独立したものではない。他者評価の結果が自己評価に反映されたり、逆に自己評価の仕方が、他者評価に反映されたりする。例えば、自分の専門の分野で、これまで出会ったことのないようなきわめて優秀な人に遭遇し、高い評価を与えた場合、以前に比べて自分を厳しく低く評価することになるかもしれない。また逆に、自分が何らかの賞を与えられて、自己評価自体を高めた場合、他者に対して優越感を抱き、他者についての評価を幾分下げることになるとも考えられる。これは他者評価と自己評価が相反する方向に作用する例である。つまりシーソーのように、他者評価が上がれば自己評価が下がり、自己評価が上がれば他者評価が下がると考えるわけである。

しかし、実は必ずしもそのような変動ばかりではない。例えば後者の例で、自己評価が高まったことに気をよくして他者評価も上げたり、自分でも賞をもらえるのだから他者ももらえるはずだ、ということで他者評価を高めることも考えられないわけではない。これは他者評価が自己評価と同方向に変動する例である。

ただし、再三述べるように、人間は本来常に自分を高く評価していたい動物である。少数の例外はあるが、その命題を基本にして自己評価と他者評価は影響しあうと考えるのが妥当だろう。このことに関連した心理学的理論を見てみよう。社会的比較理論では、人は自分より低い位置にある人を比較の対象と考えることにより、自己高揚が生じることが、既に指摘されている。つまり、人は自分よりも優れた人物について知りたがっているというよりも、自分よりも劣っている者に関する情報を求めたがっている。このような傾向を、下方比較と呼ぶ。

自己高揚欲求は、特に自尊感情に対する脅威を感じたときに強く働き、その結果として自分よりも下位にある者との比較によって、自分の幸福感を増大させようとするのである。例えば、数学でいつになく悪い成績をとったとき、いつも数学が苦手な人たちに「何点だった」と尋ねたりして、彼らが予想通り自分より低い点数であることで、自尊感情を保持しようとすることを言う。

この理論では通常、自分より下と思われる友人・知人たちが、比較対象として選択されるが、本書で言う他者軽視の他者とは、主に赤の他人を想定している。大衆と言ってもいいかもしれない。大衆については詳細な情報がなく、自分勝手に、自分より下に見なすことができるのである。例えば、他者の仕事や勉強の達成度を見たとき、情報が希薄な他者の結果を勝手に達成水準が低いものと見なすことで、自己高揚感を高めようとするのが仮想的有能感である。

人はどこの世界でも、あるいは世代を越えて、下方比較することで心理的安寧を得ようとするもののようである。大学という社会での教員は、他の学校の教員に比べて地位の違いが明確にされている。助手、講師、助教授、教授という段階が、明瞭に区分されており、給与が異なるだけでなく、教授でなければ大学院生は指導できない、といった教育上の制限が設定されているところもある。

さらに、この地位への昇格に関連して、学位の相違がある。表向き大学教員は、他の小・中・高の教員と異なり、大学卒でなくてもよいことになっているが、現実にはそれは例外中の例外で、通常は大学院で修士課程までなのか、博士課程までなのか、博士学位を有しているか否かが問題となることが多い。したがって、彼らはその学位にきわめて敏感である。ある教員は自分が博士課程まで修了していることを誇りに思っており、同い年の人が修士学位しか得ていなくて大学教員をしていることに対して「あの人は昔ドクターストップがかかった人だから」などと時々他の人たちにこっそり漏らす。また、別の教員はこれまで博士学位など研究の実力とは無関係とうそぶいていたが、博士学位を取得するや否や、「大学人たるもの博士学位を持つのは当然、博士学位のない者は大学教員ではない」というような言い方を院生たちにするようになったという。

このようなことは、特別な教員に限ったことでなく、教員としての地位の差異が明確になりやすい大学においては、他者との「小さな違い」をみつけて自分で優越感を持とうとする人たちが少なくないように見える。「人と異なる独創的仕事をしたい」「優れた業績を残したい」と願うのは研究者である大学教員の宿命であり、上昇志向は望ましいことであるが、人は上昇するために、目標となる自分より上の人ばかりを見つめていることは、つらいことなのかもしれない。時々、いやしばしば、自分より下と思う人を、口に出すか、あるいは心の中だけで叫ぶかの違いはあるにしろ、軽蔑したり批判したりすることで、上昇のためのエネルギーに転化させたり、そこで心理的安寧を得ているのかもしれない。

希薄化する人間関係の中で

他者軽視に基づく仮想的有能感が生じる背景には「希薄化する人間関係」が存在する。簡単に言えば、人は親しい人間関係を喪失し、孤立すればするほど、外面的には傍若無人な他者軽視的行動をとるようになる。つまり、現代の希薄化した人間関係においては、周りが支えてくれるという認識を欠くことになり、他者をむしろ脅威と見なすために、背伸びをして弱い自分を防衛しようとするのである。

では、なぜ彼らは真の自己肯定感は持てないのだろうか。それは、人の自信というのはつまるところ、親しい人間関係にある周りの人たちから、承認され賞賛される経験を通して形成されることが多いからである。しかるに、そのような親密な周りの人たちが少ない社会では、個人の自信も形成されがたいのである。ただし親密な周りの人といっても、親や兄弟というよりは、それ以外の親しい人の承認や賞賛が大きいように思われる。それは先生であったり、友人であったりするであろう。

周囲の評価に関係なく、適切な自己評価ができれば、実績に応じて自信が高まるはずだとの見解もあろうが、それは成熟した大人になってからの話で、発達過程においては周りの温かい賞賛が内面化することで自信がつくことの方が多いのではなかろうか。大人の場合でも身近な人たちからの好意的な評価は大きな自信になる。特に子どもの場合、たとえ客観的には低い達成水準であるとしても、周囲が承認し励まし続けることで本人が自己期待を強く持ち、現実に自信が形成されることは少なくない。

現代では、若者の友人関係の希薄化が問題視されて久しいが、彼らは友人に無関心なのかといえば、そうではない、むしろ、彼らは異常なほど、物理的に身近な友人の言動を意識している、いや意識過剰である。ただし、友人がどのような人物なのかということに対してというよりも、友人が自分をどう見ているかに対して意識過剰なのである。最近では中学や高校で、「うれしい」場面でもそのまま感情を表出せず、友人たちの顔色や出方を見たうえで、それを表出するかどうか決める子どもが多いという。自分だけ他者たちと異なる行動をして、異質な存在と見なされることを極端に恐れるためであろう。

自分が他人の目にどう映っているのかを知るためにも、友人をもっと知ればよいのにと思われるのだが、彼らは確かに心理的距離を置く傾向があり、概して相手をよく知ろうとしない。コミュニケーションするのが苦手なこともあるが、親密な関係を持つことが面倒でわずらわしく感じられるからなのかもしれない。したがって、友人たちがいかにすばらしいものを持っていたとしても気づかずに終わってしまうことが多い。

彼らの関心はあくまで自分にある。自分を友人がどう見ているかという観点で、友人を意識しているのである。自分が友人をどう見るかということにはさしたる関心もない。友人が生真面目な人であれ、ルーズな人であれ、相手を詳しく知って自分の参考にしようという志向も弱いように思われる。

さらに、現代の若者は特に見知らぬ人たちには一般に冷淡で無関心である。すぐに「カンケーないよ」という言葉を発する。ただし、会って言葉を交わした相手であれば、一応、彼らにとって礼儀やルールを守るべき対象として認識される。しかし、話をしたこともない相手なら、それは仲間でなく、そうした相手へのマナーや約束は全く無意味で、相手が困るかどうかなど全くカンケーないと考えている。

かつて日本人は地域や会社といった共同体をきわめて重要視して生きてきた。地域に不幸な人がいれば、周りの人たちが経済的、心理的に支援した。また、会社で誰かがミスをして、製品が納期までに納められなくなると聞けば、その人の責任だけを追及するのでなく、会社全体の責任としてみんなで助け合って、残業も厭《いと》わず、納期までに間に合わせる努力をした。しかし、日本人のこのような美しい伝統的心性は、今日ではあまり見られなくなり、自分は自分、他人は他人という考えが浸透し、自分にカンケーがあると思う人の数は、以前よりずっと減少したように思われる。

人間関係のストレス

話は変わるが、正高信男氏は、非ケータイ族はケータイ族に比べてきわめて利他的に振る舞うのに対して、ケータイ族は利己的に振る舞うという実験を示している（『ケータイを持ったサル――「人間らしさ」の崩壊――』中公新書）。これは現代の若者が携帯電話によって一見人間関係の親密化を図っているように見えるが、実はそうではないことを意味している。ケータイは彼ら自身の不安を取り除く手段として利用されているが、だからといって他者への思いやりとか配慮が育っているわけではないようである。

ケータイを持つ人が相対的には若年層に多いことを考えれば、若者のほうが相手のことを考えず利己的だと言える。もっとも多くの国民がケータイを持つような現代では、年齢にかかわらず、誰もが利己的になっているのかもしれない。登下校中、集団で電車に乗り込んでくる高校生たちは、車内に入るやいなや、ケータイを取り出して片手で黙々と操作し始める。彼らはそこで友人と連絡をとりあっているのかもしれないが、身近に友人がいるときまで、なぜわざわざ他の人たちと連絡をとりあわねばならないのだろうか。一人ひとりがばらばらになって自分というタコ壺の中でしか生活できないような時代がきているように思われる。

大学生と大学教員とのやりとりでも、最近ではメールが発達したせいで、直接依頼すべきところをメールでする人たちが多くなった。私の属している学科の学生は、授業や卒論の作成で調査を実施することが多いが、その依頼を平気でメールで送ってくる。授業にまったく出席していなくて教員側がまったく知らない学生が、「先生の授業で調査を実施させていただけないでしょうか」と突然メールで頼んでくる。彼らにしてみれば、直接会って頼むことは心理的に負担が大きいのであろう。顔が直接見えないところでは、気が大きくなるのかもしれない。メールのような手段は気の小さな者も気が大きくなれる力があるように思われる。つまり、対人的スキルの劣る若者たちはメールに頼ることでコミュニケーションを図ろうとしていると言えよう。

ある中学生に一日の中で好きな時間に順位をつけて、と頼んでみたところ、「寝る」「読書」「テレビ」「コンピュータゲーム」が上位であった、と新聞記事は報じている（「朝日新聞」一九九九年三月二一日朝刊）。この結果の特徴の一つは、一人でできることをしている時が、好きな時間であるとしていることであろう。中学生であれば、友人と話をしたりスポーツをしたりする、他者との交わりが好きな時間として挙がってもよさそうだが、これが個人志向の若者たちの現実なのであろう。

逆の言い方をすれば、現代の若者にとって他の人たちと一緒に何かをすることはかなりのストレスがかかると推測される。つまり人間関係を形成すること自体が億劫《おっくう》なのかもしれない。もう一つの特徴は、非活動的な「寝る」が好きな時間として挙げられていることであり、現実との戦いを回避し、世の中に背を向ける若者の姿が浮かび上がってくる。このような人間関係の希薄さが、仮想的有能感の形成に繋がっていよう。

他者軽視傾向から推測する

現代人の特徴を理解するための一つの心理的構成概念として、「仮想的有能感」を提唱したが、筆者の観察や洞察を実証していくには、まず仮想的有能感の個人差を測ることが不可欠である。今回は一度に多くの人たちに実行できる質問紙法による査定を試みた。

さて、仮想的有能感は、「自己の直接的なポジティブ経験に関係なく、他者の能力を批判的に評価・軽視する傾向に付随して習慣的に生じる有能さの感覚」と定義した。しかし、質問紙で問う際、直接的に「あなたは過去の実績や経験に基づくことなく、他者の能力を低く見積もることに伴って生じる本物でない有能感を感じますか」という質問項目で問うことはできない。誰だって自分が本物でない有能感を持っているとは言いたくないし、そう思っていないだろう。仮想的有能感とは、自分ではほとんど意識していないのに、他者の評価しがたい言動を観察したときに心の奥底から自然に吐露される、「フン、バカめ、俺の方が有能だ」というような感情を含んだ瞬時の認知である。その仮想的有能感を最も反映しやすいのが、熟知しない他者に対する評価であるように思われる。具体的に熟知している人の評価は、外からの情報量が豊かで、それに依拠することになるが、よく知らない人や漠然とした他者に対する評価は、それらについての情報量が少ないので、自分の内面を大いに投影させることができるためである。そこで他者軽視傾向＝仮想的有能感と考えて、他者軽視傾向を測定する尺度を作成することにした。

筆者らが現在使用している尺度（第二版）の一一項目は表5－1のとおりである。例えば、「自分の周りには気のきかない人が多い」「知識や教養がないのに偉そうにしている人が多い」「自分の代わりに大切な役目をまかせられるような有能な人は、私の周りに少ない」「私の意見が聞き入れてもらえなかった時、相手の理解力が足りないと感じる」などで、直接的には他者の能力を軽視したり、蔑視する傾向を尋ねている。しかし、内面的には自分の能力評価として、「他者に比較して自分はよく気がきく」「他者と違って自分は知識や教養があってそれなりの地位についている」「自分は他の人にはできない大切な仕事を請け負うことができる」「他者の意見に比べて自分の意見は優れている」といった仮想的有能感が生じているものと考えられる。

なお評定の仕方は表に示したように五段階行っている。各年齢群のこの尺度得点の平均

	項目	自己評定
(1)	自分の周りには気のきかない人が多い	12345
(2)	他の人の仕事を見ていると、手際が悪いと感じる	12345
(3)	話し合いの場で、無意味な発言をする人が多い	12345
(4)	知識や教養がないのに偉そうにしている人が多い	12345
(5)	他の人に対して、なぜこんな簡単なことがわからないのだろうと感じる	12345
(6)	自分の代わりに大切な役目をまかせられるような有能な人は、私の周りに少ない	12345
(7)	他の人を見ていて「ダメな人だ」と思うことが多い	12345
(8)	私の意見が聞き入れてもらえなかった時、相手の理解力が足りないと感じる	12345
(9)	今の日本を動かしている人の多くは、たいした人間ではない	12345
(10)	世の中には、努力しなくても偉くなる人が少なくない	12345
(11)	世の中には、常識のない人が多すぎる	12345

1：全く思わない、2：あまり思わない、3：どちらともいえない、4：ときどき思う、5：よく思う

表 5-1　仮想的有能感尺度の項目

値については第六章（166ページ）に示すので参考にしてほしい。

ところでこの尺度の妥当性については今後もさまざまな角度からの検討を必要としようが、ここでは他者による観察評定結果との関係について示しておこう。仮想的有能感は本人自身が無意識的なものであるが、それを持てば、現実の行動には時々それが表出されると考えられる。特にかなり長期にわたって複数の対象者を見ている人からは対象者の仮想的有能感の相対的評定は可能と思われる。そこで二つの高校の二つのクラスの人たちに仮想的有能感の測定を実

施すると同時に、担任および副担任の先生に仮想的有能感の概念について説明したうえで、クラス全員の生徒の仮想的有能感の高さを三段階（高・中・低）で評定してもらった。

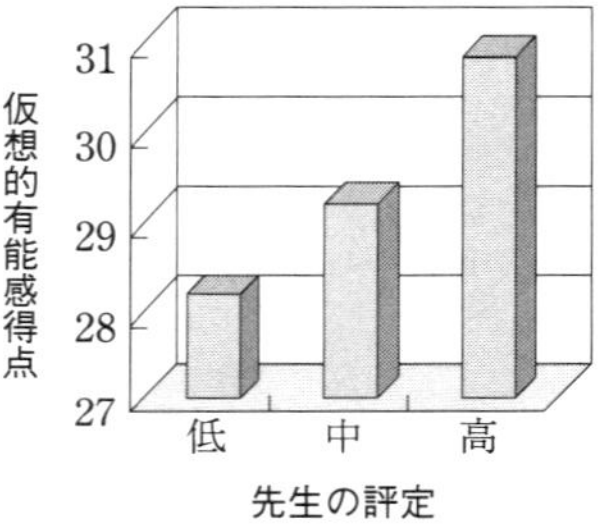

図 5-2　先生の評定と仮想的有能感得点との関係

この結果は図5－2のようで、先生から同じ評定を受けた生徒ごとに仮想的有能感得点の平均点を求めた。生徒の自己評価による尺度得点と先生の評定値はほぼ対応しており、一定の妥当性があると言える。

仮想的有能感を持つ人の特徴

先の尺度と他の関連諸概念との関係についてこれまでにいくつか研究を行ってきたが、かなり確信を持って言えるのは以下のような特徴である。

第一には共感性との関係で、仮想的有能感の強さと負の関係にあることがわかっている。つまり仮想的有能感が高いと見なされる人ほど共感性が乏しい。これは他者軽視という概念から考えても、共感性が低いからこそ他者軽視しやすいとも言える。共感性が高いということは言うまでもなく相手の立場に立って考えることができ、相手の感情を共有できることを意味している。他人一人ひとりが自分と同じようにかけがえのない人間であることを深く認識していれば、安易に他者を軽視することはできないだろう。

第二は友人関係の狭さである。仮想的有能感の高い人は友人が少ない。共感性がないから友人があまりできないとも言えるが、彼らは自ら友人をえようという気持ち自体が乏しいものと考えられる。身近な他者である友人が多ければ、自然にコミュニケーションも多くなり、他者と照応させて自分を見ることができ、現実的判断ができるものと思われる。

第三は第二のことに関係するが、仮想的有能感と友人関係満足度には負の関係が存在することである。つまり、仮想的有能感の高い人は友人関係に不満なのである。それはどのような理由で不満なのかこれまでの調査ではわかっていない。ただ、彼らは友人関係だけでなく、家族関係についても不満であるという結果があり、円滑な人間関係を促進・維持すること自体が不得手のようにも思われる（「仮想的有能感の構成概念妥当性の検討」名古屋大学大学院教育発達科学研究科紀要、心理発達科学、五一巻）。

軽蔑や嫉妬を含む仮想的有能感

他者を低く評価したり、批判的に見たり否定的に見ることで、自分の側に仮想的有能感が生じるとすれば、そこには軽蔑や嫉妬という感情が渦巻いていると思われる。おそらく、現実生活の中で、多くの人たちは、自分が期待しているほど賞賛されたり受容されたりしているとは思っていない。それどころか、正当に評価されていない、と感じている場合が多いのではなかろうか。

その状況を乗り越える最も安易で手早い方法は、周りを低く評価して、自分を浮かび上がらせる方法であろう。例えば、ある選挙で自分でなく他の候補者が当選した場合、あるいは就職試験で他の人たちが合格、自分が不合格であった場合、「チェッ、あんなレベルの低いやつらはふさわしくない」というような軽蔑の感情を抱くことで一時的に自分を持ち上げ、仮想的有能感を感じるように対処しているのではなかろうか。したがって、通常の有能感は喜びや自信といったポジティブな感情に支えられるものであるが、ここで言う仮想的有能感は軽蔑や嫉妬といったネガティブな感情を含んでいる。

基本的に仮想的有能感は、本人が自分にも周りにも満足した幸せな状況では、あまり生じるものではない。何かがうまくいかなかったとき、不満なことが生じたときに、それを補償するために無意識的に生じる可能性が高い。

現実に仮想的有能感が働くのは他者の失敗場面ばかりではない。中立的な場面、例えば先の例に挙げたような母親が担任の先生に学習を塾に任せていると話す場合などにも、仮想的有能感が頭をもたげてくる。しかしこれも、日頃、学校側の学習指導のあり方に不満を持ち、うまくいってないと思っているために仮想的有能感が生じやすいのであろう。

仮想的有能感は、軽蔑や嫉妬を包含しているという点で後ろめたいところがある。そのため無意識の淵においやられやすいのである。和田秀樹氏は嫉妬について次のように言う

(「〝エンビー型嫉妬〟が日本をダメにする！」『潮』二〇〇五年三月号)。

「一般に、嫉妬というのは、『相手のほうが優位にいたり、満たされている状態にいるのを体験した際に感じる不快な感情』と定義できるだろう。精神分析の世界では、この嫉妬を二つに分けて考えることが多い。／一つは、ジェラシー型の嫉妬である。……その不快感をバネに、相手に勝とうと思ったり、そのために頑張れる源になるような嫉妬を『ジェラシー型嫉妬』と呼びたいと思う」「このように優位な相手に感じた嫉妬のために相手に激しい攻撃性を感じる心理を、クラインは『エンビー』（羨望）と呼んだ。／私も、嫉妬のために相手を貶《おとし》めたくなったり、相手が何らかの不幸な状態になってくると嬉しくなるようなタイプの嫉妬を、二つ目の『エンビー型嫉妬』と呼びたい。／相手が優位であると感じた際に、その悔しさをバネに自分を高めようとする嫉妬を『ジェラシー型嫉妬』、相手の足を引っ張ったり、相手の不幸を喜ぶような嫉妬を『エンビー型嫉妬』と分類できるのである」「昔であれば、家が貧しかったり、親の学歴がなかったりすると……『見返してやる』とか、這い上がるためには勉強するというトレンドがあった。ジェラシー型嫉妬

をバネとして、学歴や地位の高い人間にいつかは勝とうと努力する」「今は……親にも子供にも諦めが蔓延していることが、各種調査から読み取れる。しかしながら、完全に諦めて、成功者を祝福しているかというと、どうもそうは見えない。テレビのワイドショーなどを見ていても、成功者が落ち目になったり、失敗したりすると、ここぞとばかりに袋叩きにする。そして、一般大衆が、それを一緒になって喜ぶために、テレビの視聴率は上がり、雑誌も売れる。これはまさに、ふだんは諦めている大衆のエンビー型嫉妬が噴出したものと考えていいだろう」

仮想的有能感にはジェラシー型嫉妬よりもむしろエンビー型嫉妬が多く含まれていると言える。

自己愛との距離

仮想的有能感は自己愛的なものだ、という見方が当然、成立する。大渕憲一氏は、自己愛者のイメージを、「自分のことしか関心がない」「人から愛されることを求めるが、人を愛することはできない」「あきれるほど自分に自信がある」「自分の魅力に酔い、客観的に自分をみることができない」としているが、確かに仮想的有能感の高い人物像と重なるところがある（『満たされない自己愛―現代人の心理と対人葛藤―』ちくま新書）。

自己愛も仮想的有能感も、利己主義的、自己中心的という点では類似していよう。しかし、自己愛は自己の内部で初めから自己評価のかたちで生じるのに対して、仮想的有能感は他者評価の仕方を通して生じるものである。自己愛者は、結果として他者を軽視することはあるかもしれないが、初めから他者軽視を想定しているわけではない。それゆえ、個人主義の文化が、自己愛の時代よりもさらに浸透した時代に、仮想的有能感は蔓延すると思われる。

かつて貧しい社会で必然的に助け合わねば生きていけなかった人々は、豊かな社会の中で、そのような必要性は弱まり、むしろ他者とつきあっていくことによるストレスが増大した。そこで、人同士の関わりに意義を見出せず、自分のことしか関心を持たない自己愛者が増大した。しかし、彼らが自己評価を確実なものにするためには、自分の枠内だけに留まるわけにはいかない。いや、自己愛だけでは、他者からいつ自己評価を貶《おとし》められるかわからない。だとすれば、先手をうって他者を低く評価することで、有能感の感覚を確実なものにしておく必要がある。つまり自己愛だけでは自分を守れないと、現代人はうすうす気づき始めたためではなかろうか。

また、こうも言うことができるかもしれない。あきれるほどに自分に自信があった自己愛者たちは、経済的不況やさまざまな制度改革の嵐の中で、自分の感覚と現実の行動との間の大きなズレを認識し、どこかに不安を感じ始めた。不安定な感覚を元に戻すためには、自分以外の他者の能力を低く査定し、自分は負け組でなく勝ち組であることを、先手をうって宣言してしまう必要がある。

さらに自己愛という概念と仮想的有能感という概念の相違点は、前者の方がやや広範囲な内容であるという点である。小塩真司《おしおあつし》氏は、強制選択法の「自己愛人格目録NPI(Narcissistic Personality Inventory)」を五段階評定に変え大学生に実施して、全項目を類似した項目同士に群分けし、三つの項目群を抽出している(『自己愛の青年心理学』ナカニシヤ出版)。

第一の項目群は「優越感・有能感」で、例えば「私は周りの人たちより、ずばぬけたものをもっていると思う」「私は他人より有能な人間であると思う」などの項目からなる。第二の項目群は「私には、注目の的になってみたいという気持ちがある」「私は人からほめられることを望んでいる」などにより構成されるもので「注目・賞賛欲求」と命名された。さらに第三の項目群は「自己主張性」と呼ばれるもので「私は自分の意見をはっきり言うほうだ」「どうやら私は、控えめな人間というには程遠い人間だと思う」等の項目でできている。

このうち第一の項目群が、自分の能力についての自己評価という観点で、他者軽視に基づく仮想的有能感とは最も近い。しかし自己愛は、第二の項目群や第三の項目群など欲求等の情意面も含む幅広いものと考えられよう。すなわち、仮想的有能感は、人間の能力的側面に焦点を当てている（しかし、それはむろん学習能力というような幅の狭いものではない。人間としての総合的な能力とでも言えるもので、優劣の差違が存在するものである）。だが、自己愛はそれだけでなく、承認欲求、自己主張性といった人格的側面も包含している。

社会・文化的要因

今日、若者を中心にして多くの人々の心に仮想的有能感が潜み始めていると言えるだろう。もちろん、個人差もあるが、ここでは仮想的有能感の形成に関わる社会・文化的要因について考えてみよう。

仮想的有能感の形成要因として、第一に新しい電子機器に対する適応の問題がある。若者は概して、携帯電話、コンピュータ、デジタルカメラ等を自由に操ることができる。最近の機器によって、人間一人の手作業ではできない複雑なことや、パワーを要することがいとも簡単にできる。それは自分の操作のうまさによるものでなく、機械の性能のよさに起因するのだが、それを多くの若者は自分の力であるかのように誤解するのである。とても一人の能力や腕力でできないことを、機械は短時間に実に巧妙にやってのけるようになった。それを簡単に操作できるごく普通の若者たちは、自分自身が有能になったように錯覚するのである。

第二はマスメディアの発達であろう。現在、われわれはテレビやインターネットを通して、瞬時にして世界の動きを知ることができる。これは有能さに関係なく誰もが体験していることであるが、昔、世界の様子を直《じか》に見ることができなかった人たちに比べると、世界そのものが自分の手中にあるような錯覚に陥り、自分が有能であるように誤解するのである。そして、マスコミが伝えるものについては、自分が当事者ではないので、客観的に一次元高いところで、その出来事を見ているような気分になる。観察者や視聴者は誰もが解説者のような気分になり、上から見下ろしているような錯覚に陥る。原因帰属の研究で、行為者より観察者は、行為者の行動の原因を行為者自身の要因に帰しやすい、という知見があるが、観察者になる機会が多いと、実は自分のことを見つめようとせず、代わりに直接知らない他者の表面的な欠点などが、大いに気になるようになる。

第三は個人主義が先鋭化することで人間関係が希薄化し、直接問題となっている相手の力量なり有能さなりを、相手と関わることで知ろうとしないためであろう。そのため、自分以外の人を多面的に見ることができなくなっており、特に他者の優れた部分についてはあまり意識しないようになっているのではなかろうか。教育という観点から言えば、少子化が進み、個別学習に力点がおかれることで、多くの人と協力して学ぶとか何かを作成するといった機会は減少しつつある。それだけ他者のよい面を見出す機会が失われていると言えよう。

第四は人を軽く扱う風潮である。例えば、テレビのお笑い番組などが増えて、人々が笑う機会が増えているが、他者の欠点を笑いのめすようなことが、平然と行われている。さらに、テレビも新聞も、報道の自由をいいことに、注目される人物を裸にしてしまう傾向がある。特定の人を密着取材して、すべての生活をオープンにしてしまうようなところがある。かつては、まずい部分は隠蔽《いんぺい》されて、いいところだけが強調され、大衆には伝えられることが多かった。このため「尊敬される人物」というものが、多く存在したのかもしれない。しかし、現代はマスコミが視聴者の受けを狙うために、あらゆる情報を包み隠さず、しかも特に悪いところをクローズアップして大衆に示そうとする。そのため、人は他者を一般に尊敬せず、見下げるようになるのではなかろうか。これは第二に述べたことと重なる面を持つ。

第二から第四については、若者だけでなく、現代人すべてが仮想的有能感に陥りやすい要因と言えるかもしれないが、文化の変化の影響を最も受けやすいのはやはり若者たちであろう。

ＩＴメディアの影

ここでは、仮想的有能感に及ぼす社会・文化的要因のうち、特にＩＴメディアに限定して考えてみよう。メディアが人間の心理に及ぼす影響について、加藤晴明氏は次のように書いている（「朝日新聞」二〇〇三年一二月三日、名古屋版夕刊）。

「究極の個人所有メディアの小さなディスプレーという『窓』は、『自己のまなざし』そのものであり、このまなざしを通じて私たちは自分がメディア表現者として、自己愛に満ちた自分物語をある程度自在につくりあげる。／だがそこに落とし穴がないわけではない。自己のまなざしだけが肥大していけば、『他者のまなざし』は気にならなくなる。自己の肥大化・他者の縮小は、メディアの中でなら何をしてもよいという感覚を助長し、プライバシーや著作権侵害、さらには情報システム破壊など、様々な犯罪行為を引き起こす。パソコンであれ携帯電話であれ、メディアを媒介にしたコミュニケーションは、ともすれば独りよがりの感覚を醸成するからだ」

一方で氏は「携帯電話で……交信をするのは……『他者の手ざわり』や『他者のまなざし』を感じ取ることで、結果として自己の肥大化を調整しているのかもしれない」とも述べている。

しかし、ここで強調して述べられているのは、現代のようなITメディアを媒介にしたコミュニケーションが実は他者を無視した自己主義的な感覚を作り上げやすいという警告である。電車に乗り、あたりを見回せば、それも若い中・高校生に限らず、結構頭に白いものが交じる人たちも右手に携帯電話を持ち、何やら気忙《きぜわ》しそうにボタンを押している。しかも、車掌がたびたび「携帯電話のご使用は周りの人の迷惑になりますからご遠慮ください」というアナウンスをしているにもかかわらず、である。このような光景は明らかに他者を無視して自分だけの世界に入り悦に入っている証拠ではなかろうか。

現実の世界を自由自在に飛び回るのはむずかしいが、ITメディアの中を自由に動き回っても、所詮自分が所有している世界であるから、他者からとやかく言われることはない。ITメディアの中で自由に飛び回っていても、実質的な障害がないから、自分がなんと有能であるかという錯覚に陥ることになる。本当は高度な機器が本人の意思を的確に表示してくれるのだが、自分の力で思いどおりの情報を収集できているような気持ちを持つ。

Eメールなどを使用していて感じるのは、ほとんど知らない者同士の場合に、相手への要求や期待が強くなるということである。会ったこともない人の間でも、そして、おそらく面と向かっていたらできないような要求でも、Eメールを使えば容易に行うことができる。人々はITメディアにのっかることで、仮想的有能感を体得するのかもしれない。面と向かってはなかなか反対意見が述べられないのに、メールの上だとかなり手厳しい批判を平気で行えたりする。

ネットの中の有能感

二〇〇四年初夏に、長崎県佐世保市の小学校で、小学六年生の女児が同級生にカッターナイフで頸動脈を切られ死亡する、という痛ましい事件が起きた。新聞の報道によれば、殺害した女児が「ホームページに面白くないことを書き込まれたこと」が動機の一つであるらしい。二人はパソコン画面上でやりとりする「チャット」でよく遊んでいたという。このような画面上で人間の心は、面と向かって話すときや声を伴う電話とは異なるものになる。端的に言えば「大胆なことも文字でなら書ける」ということになる。

加害児童のホームページにも「うぜークラス」「エロい事考えてご飯に鼻血垂らすわ」「下品な愚民や」「高慢でジコマンなデブスや」などといった衝撃的な文字がならんでいたという(『AERA』二〇〇四年六月一四日号)。この文字の中には、ここで言う仮想的有能感が見え隠れするようにも思われる。人は誰でも多かれ少なかれ、醜いこと、嫌なことを抑圧して生きているが、画面上ではそれが一気に噴き出すこともある。そしてインターネットは、自分の都合のよいときにアクセスし、また、都合が悪くなれば、簡単に切ることができる。ここで述べている他者軽視に基づく仮想的有能感も、このような状況で顔を出しやすいのではなかろうか。

総務省の二〇〇三年末の調査によると、小学生のインターネット利用率は六二パーセントに達しているという。パソコンだけでなく、携帯電話やゲーム機を持つ小学生も多い。もちろん、彼らは小さい頃からテレビに日常的に接しているはずである。一方的な強い刺激は、子どもたち本来の自然や生き物への感受性を鈍らせ、物事を好き嫌いだけで判断しがちにする。情報機器を手にした子どもたちは、自分だけの居心地のよい世界をつくり、そこに安住しようとする。人間の本来の付き合いというものは、文字としての言葉の内容だけでなく、直接発せられた言葉の抑揚、あるいは表情、しぐさなどを総合的に処理して、成立するものだろう。しかし、ネットの世界は情報量が十分でなく、勝手な判断が横行することになる。パソコンでメールやインターネットを使う際のルールについてもっと真剣に教育する必要があろう。

インターネット好きでドラマが嫌い

ここでは宮川純氏の実証的研究に基づいて見てみよう（「インターネット利用と仮想的有能感

の関連」名古屋大学大学院教育発達科学研究科　平成一六年度修士論文）。二一世紀はインターネットがますます進展し、われわれの生活様式を変化させることは、間違いのない予測と思われる。宮川氏は、インターネットによって提供される情報には、他の情報メディアと比較して有害情報が多いことに、まず着目している。「インターネット白書（二〇〇一年）」によると、インターネット利用者のうち、四九・八パーセントの人が有害情報を目にしたことがあり、その種類はわいせつもの（六〇・一パーセント）、コンピュータウィルス（四四・九パーセント）、誹謗《ひぼう》・中傷・デマ（三七・七パーセント）となっているという。このうちの誹謗・中傷は、まさしく他者の評価を下げることにあたり、他者軽視を通して仮想的有能感を感じる行為と似ていることになる。インターネットは、匿名性が確保されているので、それだけ自分の実績に関係なく、他者を気軽に批判できると言える。

そこで、氏はインターネット利用頻度と仮想的有能感の高さ（ここで仮想的有能感の測定は表5－1に示した一一項目のうち九項目が使われている）の関係に注目した。そして、インターネットの中でも、誹謗・中傷の書き込みが多いと言われる「2ちゃんねる」の閲覧との関係も調べてみた。結果はインターネット利用頻度が高いほど、また「2ちゃんねる」を閲覧する人の方が、しない人よりも、仮想的有能感が高いことがわかった。調査研究なので、厳密には因果関係はわからないが、インターネットの利用と仮想的有能感が密接な関係にあることは示されたと言える。

さらに、氏は他の情報メディアの閲覧頻度との関係についても調べている。それらは新聞、雑誌、テレビ番組（ニュース、バラエティ、ドラマ、アニメ、スポーツ）である。ここで興味深い結果は、テレビ番組との関係であり、仮想的有能感とニュース番組の閲覧頻度とは正の、ドラマ番組のそれとは負の関係が示されたことである。すなわち、仮想的有能感が高い人ほど、ニュース番組を見やすく、ドラマ番組を見ないと言える。ニュース番組は不特定の他者に関する情報を提供している番組であり、自分と切り離して批判することが容易なものではある。

また、近年はどのテレビ局も、何か事件が起こると競って加害者を追跡している感があり、人々の仮想的有能感を助長しているようにも見える。仮想的有能感の高い人は、毎日のように流されるニュース——それはネガティブな意味を持つ内容が圧倒的に多いが——それを眺めながら、「何やってんだ。バカ者め」という内言を発して、少し有能感を感じ、楽しんでいるのかもしれない。一方、ドラマ番組を見るためには多くの場合、登場人物への共感的理解がないと面白くない。共感性の低い仮想的有能感の高い人たちは、ドラマに感情移入ができず、つまらないものに感じられるのだろう。

誰にでもある仮想的有能感

仮想的有能感というのは、それほど特殊な現象でないとも言える。もともと人は、他者にいいかっこうをしたい。実は、筆者も若い頃、電車の隣の若者が「平凡パンチ」などを広げているのを小バカにしたように、とてもすらすらとは読めない英字新聞を広げていたことがある。これは明らかに、仮想的有能感を求めていたのだろう。仮想的有能感は、人が適応的に生きるために、誰もが備えているものかもしれない。

また、仮想的有能感を一種の思いあがりとして解釈すると、自己自身に期待を抱くことで動機づけが高まるように、それがよい方向に作用することもある。司馬遼太郎氏は次のように述べている（『人間というもの』PHP文庫）。

「人間、思いあがらずしてなにができましょうか。美人はわが身を美しいと思いあがっておればこそ、より美しくみえ、また美しさを増すものでござりまする。才ある者は思いあがってこそ、十の力を十二にも発揮することができ、膂力《りょりょく》ある者はわが力優《まさ》れりと思えばこそ、肚《はら》の底から力がわきあがってくるものでござります。南無妙法蓮華経の妙味はそこにあると申せましょう」

自己期待と仮想的有能感が重なる部分があることはまちがいない。しかし、純粋な自己期待は自分自身への明確な確信から多く生じているのに対して、仮想的有能感はそのような自分に対する確信の基盤が不安定である。

しかし、複雑な現代社会の中で自分を確立していくためには、明らかに自己主張が必要になる。この場合、相手への説得を強め、自分の意見を通そうとすればするほど人は他者軽視に直面せざるをえない。特に動機づけを考えると、ある程度仮想的有能感を抱いたほうが行動の推進力が高まるとも言える。

現在の社会では、若者だけでなく、大人も仮想的有能感を持つ人が少なくないことは、既に述べてきたとおりである。電車の中で肩がふれただけでチェッとつぶやく人たちは、「こいつめ、オレ様を誰だと思っているんだ」というような目をしている。おそらく、このような仮想的有能感は、多かれ少なかれ誰にも存在する。

さらに、戦前や古い時代にも、仮想的有能感のようなものがなかったとは言えない。社会的地位が明確になっていた分、地位の高い者や身分の高い者、あるいは地主たちが、地位の低い者や小作人に対して仮想的有能感を抱くことは、多かったように思われる。ただし、彼らは社会的な自分の位置づけの中で、自分以下の地位や身分の人を見下げ、軽視することを、当然のことと思っていた。一方で、自分より上の地位の人には、蔑視されることが当然と考えていた。その場合の仮想的有能感は、現実の実力や成功経験と必ずしも結びついていないという意味で確かに仮想的なものだが、社会制度によって持つべき人が持っていたとも言えよう。

しかし、現代のそれは社会的な位置づけからくるものではない。極端に言えば、ごく普通の人が、目上の人、さらには総理大臣や天皇をも軽蔑的な視角から見下し、有能感を感じているということも推測される。また、その種の有能感を感じている人の数は、現代では大幅に増加していよう。近年では客観的に見てごく普通の人が、あるいは客観的に見て決して有能でない人も含めて、多くの人が勝手に仮想的有能感を感じる状況にあると言える。

第六章——自分に満足できない人・できる人

自尊感情が高いのか低いのか

仮想的有能感の高い人は他者に対しては否定的で、不満を抱いていると言えようが、自分自身に対してはどうであろうか。これまで、仮想的有能感の高い人は自分に対しても不満で劣等感が強い場合が多いという前提で話を進めてきたが、前章の他者軽視と仮想的有能感の関係を示した図5−1で、自分に有能感や自信を持っていることで他者が実際に頼りなく見えて軽視することもあることを説明した。

例えば、ある会社の先輩のAは新入社員たちに、しばしば仕事のことで相手をよく知りもしないで注意や小言を言って軽蔑する。Aは、会社内での評判は悪く、どちらかと言えば仕事のできない人と見なされている。このような場合はおそらくA自身も自分に自信がなく不満で、後輩の少しの過ちをここぞとばかりに批判して、仮想的有能感を抱いているのだろう。

一方、B先輩は仕事の評判は悪くはない。本人自身も自信を持っている。そして、後輩に対してだけでなく、同輩に対しても時折、厳しい批判を浴びせたり、バカにした言い方をする。そのとき、高揚感を感じているようである。この場合も一種の仮想的有能感をBは感じていると思われるが、本人自身が自分に自信を持っていることによる他者軽視であり、Aとは異なる有能感と言える。

最近の自己肯定感を求める傾向を持つ人の中には、自己愛的で自己認識が甘いために、自分のほうが他者より上と感じて仮想的有能感を抱く者も少なくない。彼らの自尊感情は本物とは言えないが、結果的には高いと判断されてしまうことが多いだろう。一方で、本人の自己否定感が強いために、他者の能力を軽視することで仮想的有能感を抱く者もいる。彼らの自尊感情は低いと言える。つまり仮想的有能感を持つ人といっても両者が含まれるのである。

自尊感情・仮想的有能感・自己愛的有能感

仮想的有能感も自分自身を大切にする自尊感情の一つという見方も成立するかもしれない。しかし、両者はまったく別々のものと考えた方がよい。自尊感情の捉え方にもいろいろあるようだが、ローゼンバーグ氏は、自尊感情とは「自己に対する肯定的あるいは否定的態度」であり、自分を「これでよい」と感じる場合を自尊感情ありとしている。したがって、相対比較によって自分は誰々よりもよい、とする判断からくるのでなく、自己の基準に基づいて、絶対的評価で自分をよい、満足できるとする場合に生じると考えられる。

しかし、もちろんそれは、本人が歩んできた経験と無関係ではない。次のような要因が自尊感情に寄与していると考えられる。①人生において重要な他者から受け取っている尊敬、受容、関心を寄せられている量、②成功の歴史と世の中で保持している位置、地位、③個人の価値、願望、④個人の価値を低下させることに対する応じ方、などである。

自尊感情が右の①②に示されているような過去の経験を踏まえた自分に対する感情であるのに対して、仮想的有能感はそうではない。極端な言い方をすれば、経験的には自信を持てることを必ずしも経ておらず、だからこそ、勝手な判断で、他者を見下げることで、自分のプライドの維持、上昇を図ろうとするものである。自尊感情はこれまでの経験の蓄積の結果として形成された側面が強いのに対して、仮想的有能感は、自分の将来の適応のために自動的、あるいは無意識的に発生するものである。仮想的有能感とはプライドを抱いた状態というよりも、むしろ、プライドを得たいという願望を含むものであり、確固たるものではない。

したがって前項で示したように、仮想的有能感を持つ人には自尊感情が高い人も低い人も含まれていると考えておくのがよいだろう。事実、これまでに仮想的有能感と自尊感情の両者を測定して何度か相関関係を見てみたが、ほとんど関係は見られなかった。

さらに、自己愛との関係は気になるところである。もし自己愛と仮想的有能感が等価なものだとしたら、仮想的有能感という概念を特別に設ける必要はない。そこで、自己評価が甘いことから、自分を実像よりも大きく認知する自己愛的有能感という概念を設け、それを測定する尺度を以下の三項目により構成した。すなわち「私はもっと認められてよい人間だと思う」「私は他人から悪口を言われるような人間ではないと思う」「私はどんな人にも有益なアドバイスができると思う」である。そして、大学生を対象に仮想的有能感および自尊感情との関係を見たところ、自己愛的有能感は仮想的有能感とも、自尊感情とも弱い関連が見られた。つまり自己愛的有能感が高いほど、仮想的有能感も自尊感情もやや高くなる傾向があると言える。そこで、自尊感情、仮想的有能感、自己愛的有能感の関係を大まかに図示すれば、図6－1のようになろう。

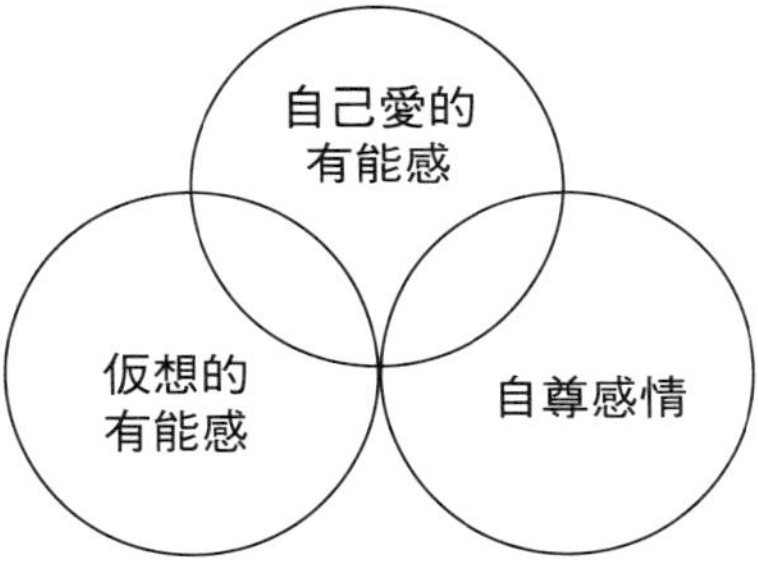

図6-1　自尊感情、仮想的有能感、自己愛的有能感の関係

　仮想的有能感と自己愛的有能感の重なりは、仮想的有能感にも「甘い自己評価」の側面が含まれていると見ることができる。他者軽視は、自分の経験や実績には関係なく行われるという意味で、自分に対する甘さが幾分含まれている、と言える。しかし、ここで重要なことは、仮想的有能感が自己愛的有能感と重なりはあるものの、やはり別物であるという点が明らかになったことである。仮想的有能感という概念は、自己愛的側面を一部含むとしても、多くの異なる側面が含まれているのである。先にも述べたように自己愛は自分を見つめる際に生じるものであるが、仮想的有能感は、他者を見つめる際に生じるものなのである。他者を軽視するということは、単に自分に甘いということ以上の、複雑な感情を包含している。

この調査で、もう一つ述べておきたいことは、自尊感情もまた、自己愛的有能感と弱い関連があったことである。自尊感情は確かに過去の経験に基づくものではあるが、自分に対する甘い認識も、一部含まれている。つまり、先に自尊感情の要因として挙げた③個人の価値、願望にあたる部分と考えられる。しかし、仮想的有能感と同様、自尊感情も基本的には自己愛的有能感とは別物である。

経験に基づかない仮想的有能感vs.経験に基づく自尊感情

さて、先に自尊感情と仮想的有能感は別々のものであることが示されたが、両者が自己肯定感であることは共通していると言える。にもかかわらず両者が独立したものであるのは、自尊感情が過去の自己経験を踏まえたものであるのに対して、仮想的有能感は過去の自己経験に基づかないものである点が大きい。

過去によい成績をとった、先生や親に褒められたというような経験は自尊感情を高めるのに対して、親に叱られた、赤点の成績をとったなどは当然自尊感情を低下させるものである。一方、仮想的有能感の高低と、このような成功・失敗経験はほとんど関係ないであろう。

このような過去の成功・失敗経験と、両概念との関係について、筆者らは高校生に成功経験（スポーツでよい結果をのこせたこと、表彰されたこと、かっこいいまたはかわいいと言われたこと、周りの大人にかわいがられたこと、多くの友人に好かれたこと、テストの得点がよかったこと）、失敗経験（人前で失敗したこと、友だちに無視されたこと、勉強しても思うような成績がとれなかったこと、スポーツで活躍できなかったこと、先生から注意をうけたこと、周りの大人に信用されなかったこと）の頻度を尋ね、自尊感情および仮想的有能感との相関関係を求めた。

その結果、成功経験と自尊感情はほとんどの項目で関係が見られ、成功経験が多いほど自尊感情が高いことが示されたが、仮想的有能感と成功経験にはほとんど関係が見られなかった。一方、失敗経験については自尊感情との間で負の関係が示された。すなわち、自尊感情が高い人ほど失敗経験が少なかったと言える。他方、仮想的有能感と失敗経験は、まったく相関関係が見られなかったわけではなく、三項目で正の関係が示された。それらは「友だちに無視されたこと」「先生から注意をうけたこと」「周りの大人に信用されなかったこと」であり、いずれも人間関係においてネガティブな経験を、仮想的有能感が高い人ほど多く経験していたことになる（Assumed-competence based on undervaluing others as a determinant of emotions: Focusing on anger and sadness. *Asia Pacific Education Review*, 5)。

この調査から、自尊感情は過去の成功・失敗経験の影響を確実に受けている、と推測されるのに対して、仮想的有能感はそのような影響は小さいと推測される。ただし、仮想的有能感に関してはネガティブな人間関係の経験が多いほど高くなることが示されたことは注目すべきである。

仮想的有能感と自尊感情との関係

他者軽視に基づく仮想的有能感と自尊感情との関係が、無相関に近いことは、仮想的有能感の高い人の中にも、自尊感情が高い人も低い人もいることや、自尊感情の高い人の中にも仮想的有能感が高い人も低い人もいることを意味している。それゆえ、この二つの変数の高低の組み合わせで、少なくとも四つのタイプが存在することがわかる。

その前に、自尊感情の概念と本来の有能感の概念との関係についても述べておく必要がある。自尊感情とは、遠藤由美氏（『心理学辞典』有斐閣）によれば、「自己に対する評価感情で、自分自身を基本的に価値あるものとする感覚。自己価値や自己尊重とも訳される。

自己に対する記述である自己概念とは区別される概念であるが、記述は価値評価を含んでおり、両者は厳密に区別されえないとする考えもある。自尊感情は、その人自身につねに意識されているわけではないが、その人の言動や意識態度を基本的に方向づける。自分自身の存在や生を、基本的に価値あるものとして評価し信頼することによって、人は積極的に意欲的に経験を積み重ね、満足感をもち、自己に対しても他者に対しても受容的でありうる。このような意味において、自尊感情は精神的健康や適応の基盤をなす」とある。

一方、本来の有能感（competence）の概念に関しては、心理学者のホワイト氏が「周りの環境と効果的に相互交渉できる能力」と定義していることはよく知られている。当初はこの概念は、幼い子どもにも内発的な意欲の芽が備わっていることを説明するのに用いられた。その後、コンピテンスの個人差を測定する尺度が作成されたが、その項目内容は自尊感情の場合と近似しており、自信とか得意とか満足という言葉が多い。例えば、「自分に自信がありますか」「たいていのことは、人よりうまくできると思いますか」「今の自分に満足していますか」などの項目である。この内容はローゼンバーグ氏の自尊感情の測定項目とかなり重なりがある（桜井茂男「認知されたコンピテンス測定尺度（日本語版）の作成」教育心理学研究、三一巻）。

それゆえ、ここでは概念上の煩雑さを避けるために、自尊感情も個々の領域を越えた一般的自己価値という有能感を意味するものという捉え方をしたい。そう考えると、性質の異なる二次元の有能感から、四種類の有能感タイプが存在することになる（図6－2参照）。これは他者観（他者軽視）と自己観（自尊感情）の肯定か、否定かの組み合わせとして考えることもできる。

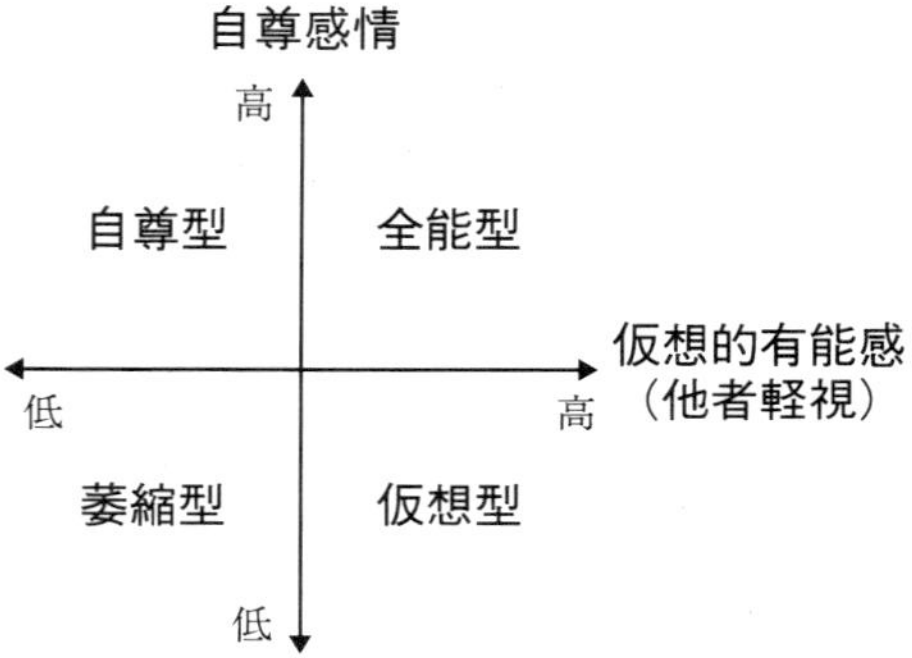

図6-2　有能感の4タイプ

まず、右上の領域は、他者軽視に基づく仮想的有能感が高く、自尊感情も高いタイプで、「全能型」とした。「他者に不満であること」と「自分に満足していること」が同居している人という言い方もできる。

左上の領域は、他者軽視に基づく仮想的有能感が低く、自尊感情が高いタイプで、「自尊型」と命名した。彼らは「他者に不満はなく」「自分に満足している」タイプと言える。平たく言えば、彼らは自分に自信を持っているが、他者を低く評価したり、軽蔑したりしないタイプである。

左下の領域は、両次元の有能感とも低い場合であり、「萎縮型」と呼ぶことにした。彼らは自尊感情が低いばかりでなく、他者軽視に基づく仮想的有能感も低い。つまり「他人に不満はなく」、「自分に不満」なタイプと言える。

そして右下の領域にくるのが、他者軽視に基づく仮想的有能感だけが高く、自尊感情は低いタイプである。これを「仮想型」と命名する。「他人にも自分にも不満」なタイプと言えよう。

言うまでもなく、本章で問題にしている仮想的有能感の高い人は第一の全能型タイプと第四の仮想型タイプに含まれていることになる。

しかし、このように分類すると気になることがある。それは先の遠藤氏の自尊感情の定義によると「自己に対しても他者に対しても受容的でありうる」と書かれていることである。だが、このような分類をすれば自尊感情の高い人でも相対的に他者に対して受容的でない人も存在することになる。

有能感の四タイプ

仮想型

第三章で述べたルーシーのような人物が想定される。つまり、仮想型の人は本人が上手にできず、現実には有能とは認められないにもかかわらず、その失敗の原因を自分以外の要因に帰しやすい。また、周りの人の失敗には敏感で、その機会を捉えて、相手を批判することを通して自分の有能さを回復させたり、誇示しようとする。成果主義の会社で評価されない人が、家で会社を批判したり、成績の悪い子どもの親が、母親同士の集まりで学校を痛烈に批判するような行動の背後には、このような仮想型の有能感が働いているものと考えられる。

全能型

彼らは前者の仮想型と異なり、自分に対する劣等感を意識しているわけではない。それどころか優越感を抱いている。中学を出るとすぐに建築の世界に入り腕を磨いてきた評判の棟梁は、大工の弟子だけでなく、周りの家族や親戚のヘマに対しても「バカモン」と怒鳴りつける。この有能感は本人の実力に裏づけられた全能型と言える。しかし、甘い自己認識の全能型もある。ある町内会のボスは年をとり、傍目《はため》には明らかにボケが始まっているにもかかわらず、ある役員のポストをけっして若い人にゆずろうとせず、会合では若い世代の新しい意見にことごとくいちゃもんをつけるという。彼らもまた全能型の有能感を持っていると言えるだろう。

自尊型

他者を軽視して仮想的有能感を感じるようなことのないタイプである。他者軽視の対極は他者尊重ということで、他者の存在を重く受け止めているという言い方もできよう。だからといって彼らは自分自身が小さくなっているわけではない。自分にも満足感や自信を持っていると言える。ある中小企業の社長は、自分の腕一つで会社を育てあげた努力家だが、常に自分が社員一人一人に支えられているという気持ちを失わない。昼食も社員といっしょにとる。景気が悪くなったときも社員を一人も解雇することなく乗り切ってきた。このような人は自尊型の有能感を有していると考えてよい。

萎縮型

他者には不満を感じていないが、自分には自信がなく不満なタイプである。人に迷惑をかけたり、困らせたりするようなことはなく、傍から見ればけっして悪い人ではない。一方、失敗などはすべて自分のせいにして劣等感を強く持つ。ルーシーとは対照的なチャーリーがこれに該当しよう。また、Kさんはバレー部に所属している。客観的にはそうではないが、本人は自分が一番下手だと思っている。Kさんが出て試合に負けると、たとえ別の人のミスが大きく響いて負けた場合でも、いつもチームメートに「すみませんでした」「すみませんでした」と頭を下げる。第二章であげた鬱の子どもたちも萎縮型に相当する人が多いであろう。

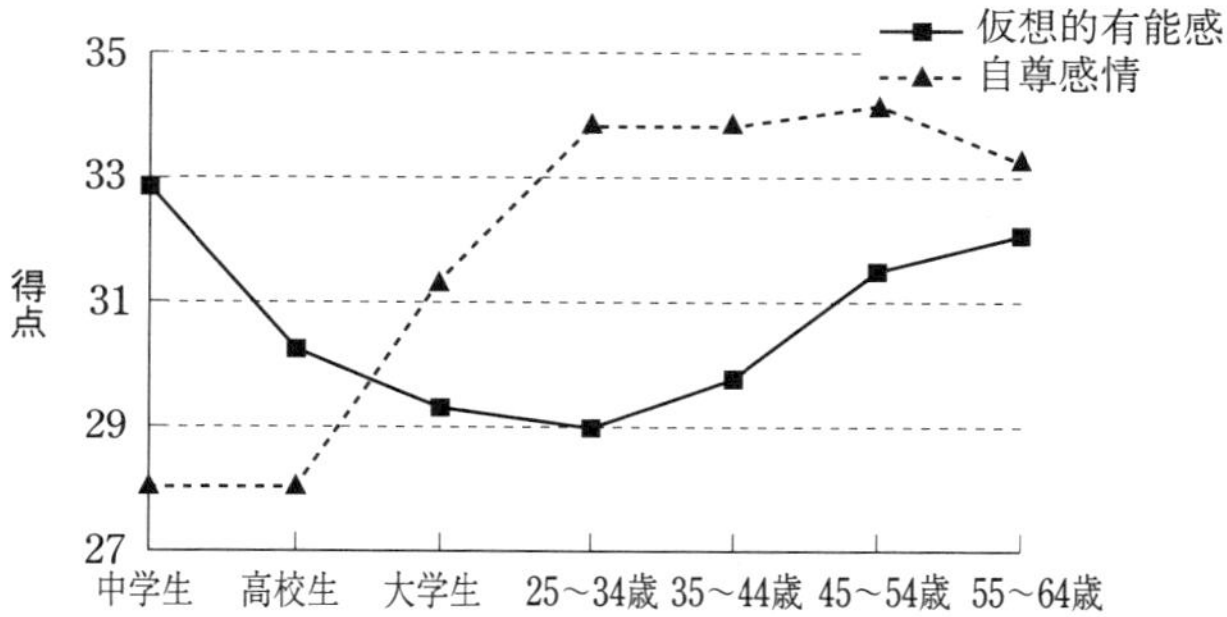

図6-3 女性対象者における仮想的有能感得点および自尊感情得点の発達的変化

(ただし、仮想的有能感の得点可能範囲は11〜55、自尊感情の得点可能範囲は10〜50)

年齢と仮想的有能感

仮想的有能感が個人主義やITメディアの影響を受けているとすれば、我が国でも年輩層よりは若年層でその傾向が強いことになろう。

しかし、本章で述べてきたように仮想的有能感の高い人のなかにも自分に満足できるタイプとできないタイプが存在する。第二章で示したように日本の若者の自尊感情が概して低いことを考えると、若者に多いのは特に仮想型と考えられる。四つの有能感タイプの各年齢層での分布を実証的データを基に見ておくことは意義があろう。

ところで、さまざまな年齢層の適切な偏りのないデータを得ようとするのは、現実にはなかなかむずかしい。われわれの集めたデータもランダムサンプルではなく、自分たちで収集できるところで集めたにすぎない。具体的には、ある市町村が主催する市民講座に参加した人、管理職につくための研修に参加した人、幼児や大学生の親、市役所の職員等が、成人の主な内訳けであり、他には中学生、高校生、大学生を対象にした。市民講座に参加している人は、圧倒的に女性が多く、男性成人の人数が少なかったため、ここでは、女性の結果だけについて示すことにする（木野和代他「仮想的有能感の発達的変化—横断的データを用いた検討—」日本教育心理学会　第四六回総会発表論文集）。

図6-3が仮想的有能感（他者軽視）得点および自尊感情得点と年齢の関係である。年齢層は中学生（九九）、高校生（三四一）、大学生（一六四）、二五～三四歳（七五）、三五～四四歳（二〇二）、四五～五四歳（一五〇）、五五～六四歳（一〇四）に区分されている。（　）内は人数であるが、年代によりかなりの凹凸がある。また、二五歳以上に学生は含まれていない。

仮想的有能感得点は中学で最も高く、高校、大学と徐々に低くなり、二五～三四歳で最低となり、その後、今度は逆に年齢とともに増大の一途をたどっている。つまりU字型の曲線を描いていると言える。若者である中・高校生で仮想的有能感が高いが、一方で年齢の高い五〇代、六〇代で同程度に高いという結果が示されている。これはやや予想外の結

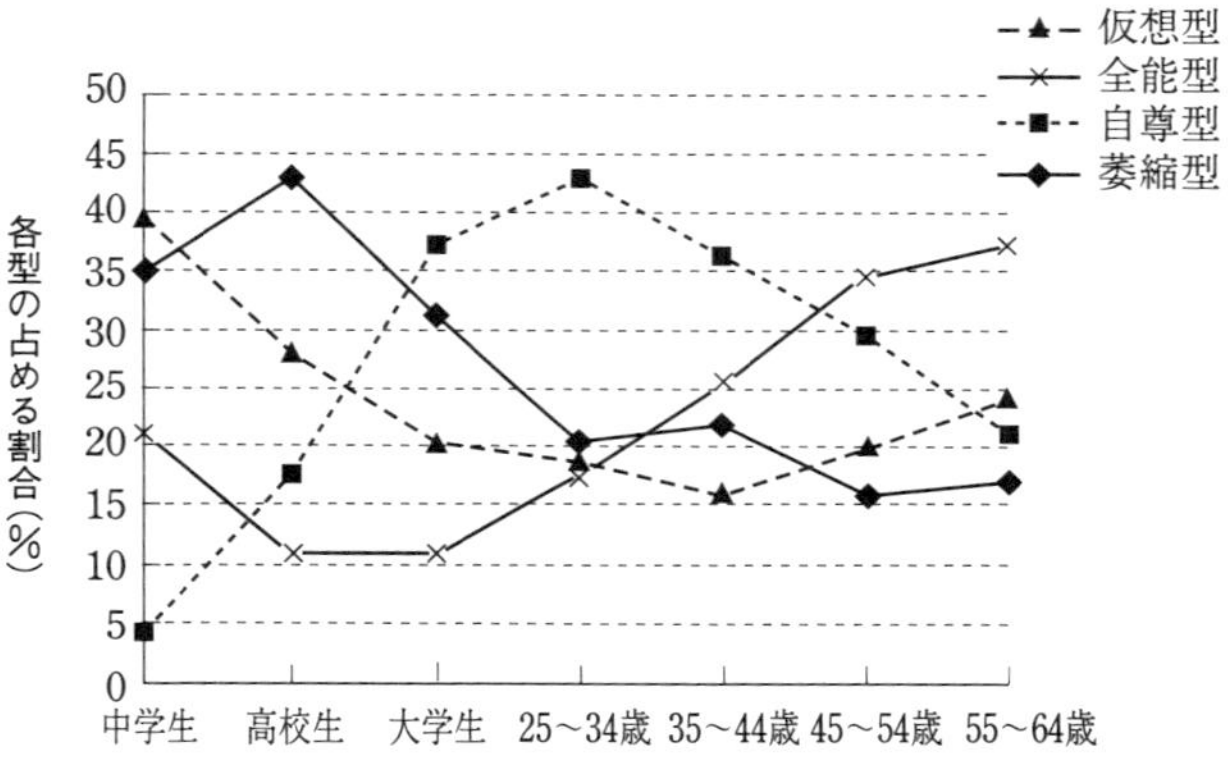

図6-4　女性対象者における有能感タイプの年齢による比率変化

果と言える。一方、自尊感情は、中学生や高校生で最も低く、年齢とともに高まっている。この傾向は他の多くの調査研究と一致している。

年齢群ごとの有能感タイプ

次に、年齢群ごとの有能感タイプの割合を表示した。これは、それぞれの尺度について全被調査者の平均値で、上下に区分し、上述の四つのタイプにわけて算出したものである(図6-4)。

ここでまず注目すべきは、仮想的有能感(他者軽視)が高く、自尊感情が低い「仮想型」の人たちの割合の年代的推移である。中学生で最も高く、その後徐々に三五～四四歳までこの割合は落ち続ける。四五～五四歳、五五〜六四歳でやや上昇する。しかし、これは先ほどの仮想的有能感得点だけの上昇よりははるかに小さい。これにより、自尊感情の低い仮想的有能感を持つ人、つまり「仮想型」はほぼ予想通り若者に多いと言うことができる。

一方、仮想的有能感も自尊感情も高い「全能型」は、まったく異なる曲線を描いている。高校生、大学生では特に低く、その後、年齢とともに徐々に割合が増大している。すなわち、若年層で割合が低く、年輩者で高いことが図6-4で示されている。自尊感情は若者で低い人が多く、年輩者で高い人が多いことからすれば当然の結果と言える。それゆえ、仮想的有能感の意味合いそのものが、若者と年輩者では異なる可能性がある。若者の多くは自信がないことの裏返しとして、他者を軽視して自分の仮の有能さを持とうとしているのに対して、年輩者の多くは自分に自信があると思うからこそ、他者が現実に頼りなく感じられ、軽視するのかもしれない。

放物線的な変化を示すのは、自尊感情が高いにもかかわらず、仮想的有能感が低い「自尊型」である。これは、中学生がもっとも低く、二五〜三四歳でその割合がピークとなり、その後、徐々に減少していく。二五〜三四歳は、就職や結婚等、身の回りの変化がきわめて大きい時代であり、社会的な人間関係についても、大いに気配りや謙虚さが必要な時代のように思われる。あらゆる場所で、大人社会の新参者であることが、他者を重視せざるをえない状況をもたらしているように思われる。

だが、これはその年代に課せられる役割期待からの解釈であり、もしそのように考えるなら現在の中・高校生も十数年先にはそのように変化することになる。本書で特に若者の仮想的有能感を問題にしているのは、発達的変化と言うよりも、文化や時代による変化である。彼らは社会的変化や文化の影響を受けてこのような有能感のタイプを示していると解釈する方がよいだろう。

この調査時に二五～三四歳の人々の小学校高学年から中・高校生時代は八〇年代であり、日本の経済成長が頂点を極め、多くの日本人が、ジャパン・アズ・ナンバーワンになると信じて疑わなかった時代である。その頃、学力の世界比較でも日本は常に先頭を走っていたように記憶している。そのような日本人としての誇りが、今でも心に染みついており、この世代の自尊感情はもともと高かったのかもしれない。さらに成長期が好景気で、ある程度ゆとりを持って生きてきたため、他者を競争相手として強く意識するようなことがなく、他者軽視をして仮想的有能感を求める必要のない時代であったのかもしれない。

「萎縮」する若者にも注目

次に、「仮想型」と類似した曲線を示しているのは、仮想的有能感も自尊感情も低い

「萎縮型」の人たちの割合である。これまでのいくつかの研究で指摘されているように、日本の若者の自尊感情は低く、結果としてこれらの人の占める割合は、中学生、高校生で特に多くなっている。ただし、今回の結果では、中学生でなく高校生がこの型を示す割合が最も高く、それ以降は減少する。

この結果から、日本の若者は仮想的有能感そのものが高いというよりは、むしろ自尊感情が低いところに特徴があり、その中で他者軽視による仮想的有能感が高い型と低い型に二分されていることが指摘できる。

他者軽視傾向からとらえられた仮想的有能感そのものは、中・高校生で高い傾向はあるものの、その減少傾向は必ずしも明確でない。逆に言えば、年輩の人たちも仮想的有能感を持っており、これは今や若者だけの問題でなく、国民全体の心の中に仮想的有能感の心性が潜んでいると言える。しかし、その中で、自尊感情が低くて仮想的有能感の高い仮想型は、確かに若者の特徴と考えることができる。他方、仮想的有能感も自尊感情も低い萎縮型も、若者に多いことが示された。

したがって、年齢比較の調査から最も明瞭になったことは、ピーナッツの二人の主要な登場人物、いずれも自尊感情は低いが一方は仮想的有能感を持つルーシー型（仮想型）と、他方は仮想的有能感を持たないチャーリー型（萎縮型）が現在の若者には多いということである。

年輩者の「全能型」にも注目

さらに、仮想的有能感そのものは既にすべての年齢層が宿していることは特筆すべきである。そして、特に年輩層では自分に自信や満足感を持った「全能型」の仮想的有能感を持つ人が多いことも注目に値する。

自尊感情と仮想的有能感を同時に持つことは一見矛盾するようにも見えるが、年齢を重ね、経験を積むことで実際以上に自分に自信を持つことは、やはりあるのではなかろうか。年輩者にあたる人たちがよく「今の若い者は……」と批判しだすのも一種の他者軽視に基づく仮想的有能感の表れかもしれない。また、この年代は幼い頃、戦中、戦後の経済的に厳しい時代を体験した人たちで、それが他者を厳しく見つめることに繋がっているのかもしれない。

ただし、この調査結果は女性に限定されている。仮想的有能感はむしろ男性で高いことがこれまでにもわかっており、男性の結果が示されないと確かなことは言えない。さらに文中でも指摘したように、この差が暦年齢の差なのか文化の変化に伴う世代差なのかを把握するのは、一回限りの調査では不可能であり、追跡的研究が必要だろう。

第七章——日本人の心はどうなるか

感情ややる気を動かす仮想的有能感

本書の冒頭で、感情や動機づけなどの情動のあり方が、最近変化してきたことを指摘した。それは若者の多くが、仮想的有能感を身につけてきたことと、不可分であるように思われる。

もちろん、第一章で述べたように人々が示す感情の量的変化は、豊かさや個人主義といった社会や経済や文化の変化そのものに規定されている面も大きい。しかし、それらは感情ややる気に直接的に影響を与えるものというよりは、間接的に影響を与えるものではないかと考えられる。

直接感情を規定する要因の一つは、当事者が他者や自分をどのように認知しているかということではなかろうか。認知が介在することなく、感情が直接喚起されることも起こりうると言う研究者もいるが、多くの研究者は、外界を知覚し、瞬時であれ生体にとってよいものかどうか等の「認知的評価」がなされて感情が生じる、と考えている。

仮想的有能感は、直接的には他者軽視の仕方を測定しており、他者の実力や能力を低く見るという一種の認知的変数、つまり他者観であると見ることができる。しかし、この概念は単に他者観としての認知的変数だけでなく、その裏返しとしての「自分は有能」という自己観の意味も持つ。他者や自分に対する捉え方の相違が、外界への注意のあり方そのものを規定し、さらには客観的に同じ出来事に対してでも、その受け止め方に差異をもたらすものと考えられる。つまり、他者軽視に基づく仮想的有能感は、特に他者に対する対人的感情や自分に対する対自的感情を規定するように思われる。

例えば、北山忍氏らは自己観の相違が感情の相違を生み出すと述べている。すなわち相互独立的自己観（個人は他者とは明確に区分され独立した存在であり、個人独自の能力や性格などの属性を内に持っているという見方）を持つ場合には、誇りや優越感といった感情が強められるのに対して、相互依存的自己観（個人は他者から切り離したかたちでは捉えられず、それぞれ属性を共有しているという見方）を持つ場合には、親しみや尊敬の感情が強調されることを指摘している。感情はそれを引き起こす客観的事象そのものだけでなく、それを受け止める主体の要因、自己観や他者観により規定されるのは当然と言えよう。

最も基本的なことは、他者軽視に基づく仮想的有能感の高い人たちは、自分自身に関係する出来事には注意の度合いや覚醒の度合いが高いが、自分に無関係な出来事にはそれが低いことである。また、他者を軽視する認知傾向が強ければ、普通、他者に向けられたネガティブな感情については強められ、ポジティブな感情については弱められるものと考えられる。一方、自分に向けられたネガティブな感情は、彼らの自己中心的な傾向から弱められ、逆にポジティブな感情は強められるものと考えられる。

また、仮想的有能感自体、自己評価、自己認知の一つと見なすことができるが、一方で軽蔑や嫉妬などのネガティブな感情を包含したものであることは、第五章で述べたとおりである。だとすれば、仮想的有能感は感情ネットワークの一つのノード（意味的にまとまりのある単位）として位置づけることもできる。したがって仮想的有能感が喚起されれば、それに伴ってリンクするさまざまなネガティブな感情が連鎖的に生じると言える。

さらに、仮想的有能感は、やる気や動機づけにも影響を及ぼしていると考えられる。ルーシーのような仮想型の有能感を持つ場合は、自分が他者を凌《しの》いで、みんなから注目されたいという気持ちは人一倍強い。しかしながら、地道に努力を重ねて自分の目標を追求するという面は弱いように思われる。

仮想的有能感と感情ややる気との関連性について考察するのが本章のねらいであるが、ここで扱うそれらは、第一章で述べたような「怒り」や「悲しみ」といったカテゴリーで量的に問題にするのではなく、さらに一歩踏み込んでそれぞれの感情の質的側面に着目する点に特徴がある。「怒り」にも「悲しみ」にも、あるいは「やる気」にも多面性が考えられるのである。

仮想的有能感と一般的怒り

これまで、現代に生きる人々は「怒り」の感情が生起しやすいことと同時に「仮想的有能感」という心性を獲得してしまったのではないか、ということを述べてきた。そこで、ここでは実際に仮想的有能感の高い人ほど怒りやすいのか否かについて検討した研究を見てみよう。

この研究は大学生約四〇〇名を対象になされたもので、仮想的有能感尺度と自尊感情尺度およびスピールバーガー氏による「状態—特性怒り表出目録（STAXI）」の測定を実施した。ただし、ここで使用されていた仮想的有能感尺度は第一版で、表5－1の第二版と項目内容は少しだけ異なっていた。またSTAXIは怒りの五つの側面（状態怒り、特性怒り、怒りの表出、怒りの沈殿、怒りの制御）を捉えようとするものであった（鈴木平・春木豊「怒りと循環器系疾患の関連性の検討」健康心理学研究、七巻）。しかし、ここでは特性的な仮想的有能感とは関連が見込めない「状態怒り（情動状態としての怒り）」だけは用いなかった。「特性怒り」は性格特性としての怒りやすさの個人差（例えば、すぐにかっとなる）を、「怒りの表出」は怒りを外部（他者や物）に向ける傾向（例えば、ドアをばたんと閉めるような荒々しいことをする）を意味する。また、「怒りの沈殿（鈴木氏らの訳は怒りの抑制）」は怒りを内にためる（心の中に抱く）傾向（例えば、誰にも知られないように、自分の胸のな

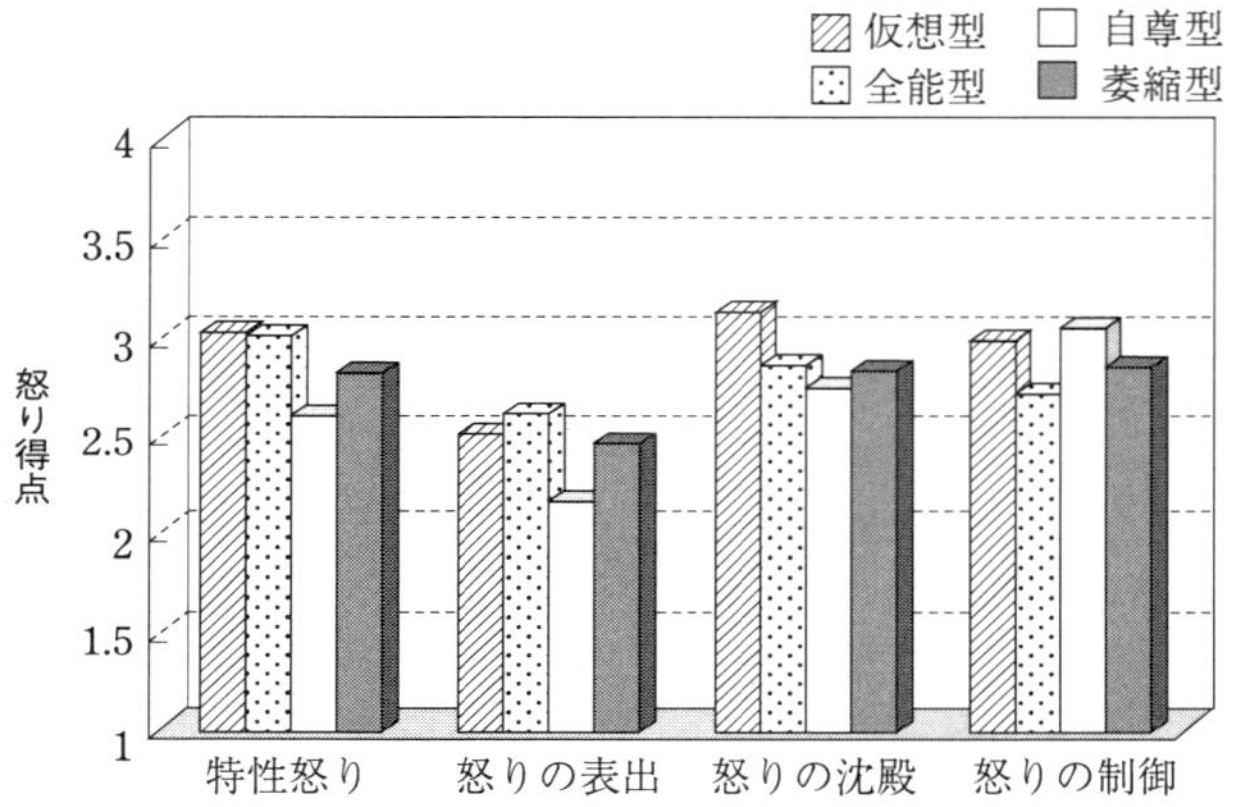

図7-1　有能感タイプと怒りの関係

かだけで他人を非難する）を、「怒りの制御」は怒りが外に出るのを抑え、認知的に制御する傾向（例えば、気を静めて相手を理解しようとする）を意味していた（なお、日本語版STAXIは四段階で回答が求められていたが、ここでは回答のしやすさを考慮し、五段階尺度で回答を求めた）。

その結果が図7－1である（『他者軽視に基づく仮想的有能感―自尊感情との比較から―』感情心理学研究、一二巻より作図）。ここでは仮想的有能感得点および自尊感情得点は平均値を境に高得点群および低得点群に分類し、先に示した四つの有能感タイプにわけて整理した。

この図から読みとれるのは、他者軽視に基づく仮想的有能感の高い群、すなわち仮想型と全能型が、仮想的有能感の低いタイプ、すなわち自尊型や萎縮型に比べて、特性怒り、怒りの表出、怒りの沈殿の値が高いことである。他者軽視を通して自分は他者に比べて有能だと感じていると、常に怒りやすく、それを表現しやすく、さらには、心の中にも怒りの気持ちを多く蓄積させている、と考えることができる。仮想型は特に「怒りの沈殿」が高いという特徴があり、彼らは怒りを内にためていると言える。

一方、怒りの感情を最も持ちにくいのは、自尊感情が高くて仮想的有能感を持たない自尊型と言えよう。また、彼らは怒りの制御も、最も高い数値をとっている。彼らは上手に怒りをコントロールできるらしい。

同じく仮想的有能感は低いが、自分に満足していない萎縮型は、自尊型に比べるとかなり怒りを有していると推測できる。この事実は、怒りを持たないためには、単に他者を軽視しないだけでなく、自分自身に対する自己評価として、「これで十分だ」という満足感を持っていることが必要であることを示唆していよう。

個人的出来事に怒り、社会的出来事に無反応

現代の若者は、個人的なことでキレたり怒ったりすることが多い。先生が予定を変更したと言って怒ったり、レストランで客の扱いが悪いと言って平気で怒鳴ったりする。先に

検討した一般的怒りもそのような個人的な怒りが主に想定されているように思われる。

しかし、人は自分以外のことでも怒る場合がある。例えば、社会的な問題で怒るというようなことがあるはずであるが、最近の若者がそのようなことで怒るのはめっきり少なくなったように思われる。団塊の世代が学生時代、学園紛争を起こしたりして社会や政治に対して大いに怒っていたのに比べると、確かに現在の大学生はきわめておとなしい。これは一体なぜなのだろうか。

この一見矛盾した現象こそ、仮想的有能感により説明可能かもしれない。最近の若者は自分を高く評価したり、評価しようとしたりするので、自分の身の回りに直接不利益が生じると、相手のせいにしようと怒り出す。些細であっても自分の意思が通らないことに対しては、確かに怒りやすいように思われる。

一方、政治や社会に対しての怒りというのは、その原因となる問題に直接、当人が関わる場合は少ない。あるいは関わるとしても、大勢の中の一人として関わるだけである。対人関係で負の経験を持つ仮想的有能感の高い人は、先の調査でも共感性が乏しいことが知られており、直接的に関わりのない問題には自分が支払うコストを考え、コミットしようとしないと考えられる。不利益が直接自分に及ぶことのない社会の問題、あるいは自分に直接は関係のない問題についての感情反応は、個人的な問題に対する反応と異なってくる。

仮想的有能感を持つ人は、本質的に自己中心的であり、自分のことにだけは関心が強いが、他人のことには関心が薄い。共感性のなさが、仮想的有能感の高い人の特徴でもあり、町で見知らぬ人が困っていたりしても「悲しみ」を共感できないので、手を差し伸べるようなことはない。テレビのニュースで、外国での悲惨な内戦が報じられても、遠い国の出来事として眺めるだけで、加害者に対する怒りや被害者に対する悲しみの感情が生起することはないように思われる。彼らは社会的出来事に対してはきわめてクールでなんら感情を持たないだろう。

しかし、この共感性のなさは、恐ろしいことである。結局自分のことだけ、あるいは直接自分に関係する世界でだけは強く感情的に反応するが、自分に関係がないと思われる人たちの気持ちや感情を推し量ろうとする構えすらないことになる。

高校生の感情反応調査から

このような仮想的有能感の個人差に関連して、個人的出来事と社会的出来事に対して生まれる感情の違いについて実証するため、高校生約六〇〇名を対象にして次のような研究が行われた。

まず、負の個人的出来事に対する感情反応を見るために「いつもいっしょに遊ぶ仲間から声をかけられなかったとき」「他の人に協力を頼んだのに拒否されたとき」「委員やリーダーに立候補したが落選したとき」など八項目について、「そのとき、あなたは悲しみと怒りのどちらの感情をより強く感じますか」というような質問で「1．悲しみの方が強い」「2．悲しみの方がやや強い」「3．怒りの方がやや強い」「4．怒りの方が強い」「5．どちらも感じない」のどれかを選択させた。

一方、負の社会的出来事に対する感情反応に関しては、「ニューヨークの世界貿易センタービルでのテロについて」「池田小学校の児童殺傷事件について」「青少年によるホームレス暴行死事件について」など六項目に対して、まず、知らない話題については×を書かせた上で、知っている話題については三つの選択肢（悲しみ、怒り、無反応）から選ばせた。

結果の整理の仕方としては、個人的出来事の場合「1」か「2」を選択した人を悲しみ群、「3」か「4」を選択した人を怒り群、「5」を選択した人を無反応群とし、社会的出来事の選択結果と比較しやすくした。そして、それぞれの感情群に属する人たちの仮想的有能感得点を算出して比較してみた。個人的出来事、社会的出来事のそれぞれ代表的な一項目（個人的出来事については「楽しみにしていた約束を、相手に一方的に破られたとき」、社会的出来事については「ニューヨークの世界貿易センタービルでのテロについて」）の

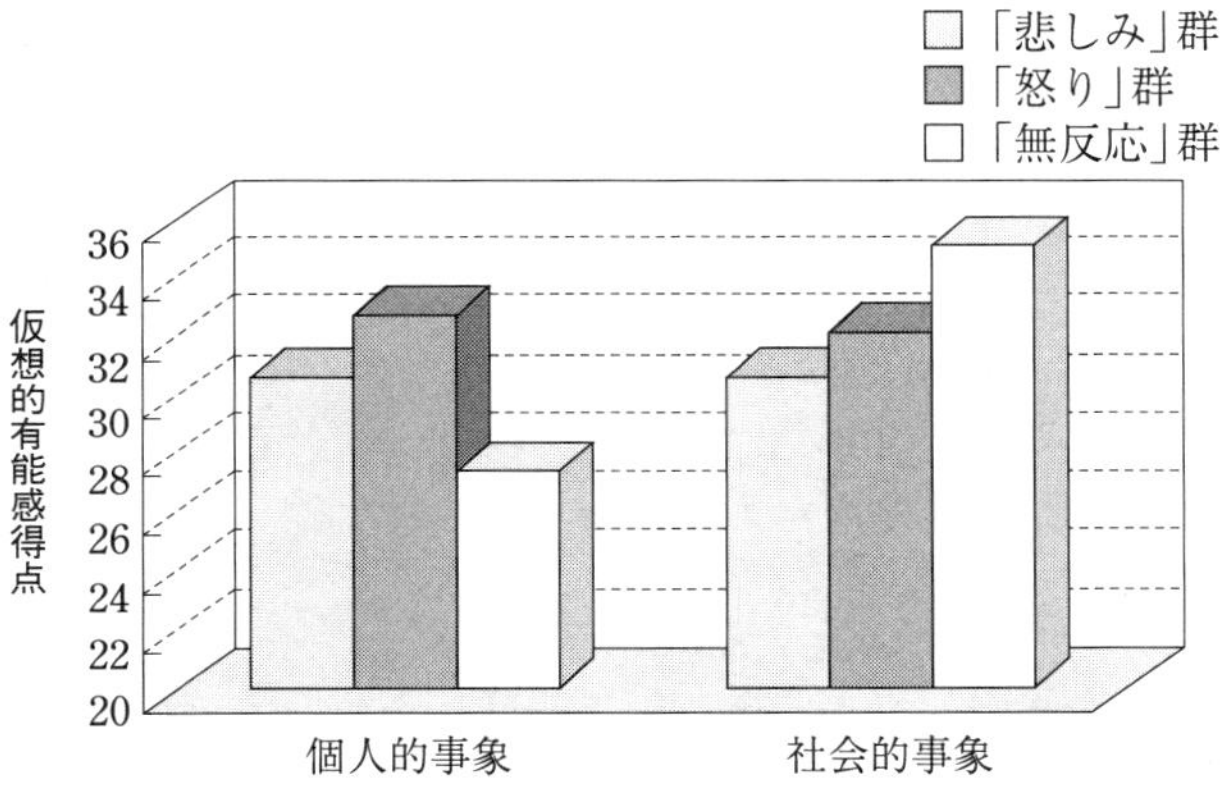

図7-2　「悲しみ」群、「怒り」群、「無反応」群の仮想的有能感得点の比較

各群の仮想的有能感の得点を見たのが図7－2である（Assumed-competence based on undervaluing others as a determinant of emotions: Focusing on anger and sadness. *Asia Pacific Education Review*, 5)。他の項目についても比較的類似した結果が得られた。

この図から読みとれるのは、個人的出来事においては、怒り群で仮想的有能感が最も高くなっていることである。逆に言えば、個人的な負の出来事に対しては、仮想的有能感が高いと怒りやすいことを意味する。一方、個人的出来事に対して怒りも悲しみも感じない無反応群の仮想的有能感は最も低くなっている。仮想的有能感の低い人は個人的利害が絡むことにはあまり動じないと言えよう。

社会的出来事に関しては、逆に無反応群に

おいて仮想的有能感が最も高くなっており、仮想的有能感が高い人は社会的な負の出来事に対して悲しみも怒りも感じにくい。一方、相対的には悲しみ群の仮想的有能感が最も低くなっており、社会的出来事に対する共感的悲しみの感情は仮想的有能感の低い人たちから生じていると言える。

悲しみはどこへ

チャップリンは喜劇王と言われるが、彼の作品には人間の澄み切った悲しみが表現されており、当時の人々の心を魅了してきたように思われる。例えば、「ライムライト」は、チャップリン演じる、カルベロという、一時代を築きながら今は売れなくなった喜劇役者と、脚が動かなくなった原因をリュウマチと思い込み絶望し、ガス自殺を図るバレリーナ、テリーの出会いから始まる。

カルベロは、自分の部屋でテリーを養生させ、病気から回復させようとする。「生きることに意味がない」と嘆くテリーを、カルベロは「人生は願望であり、意味ではない」と諭す。とはいえ、彼自身、最近は仕事がなくなり、酒におぼれる毎日である。役者も年をとると人生を考え、深刻になるので、客が遠ざかると考えている。

久々に会社から電報が入り、一週間、ある劇場で出演してほしいと頼まれる。しかし、そこの社長から、最近はカルベロの名前を出しただけで、劇場から出演を断られることが多いのだと言われ、自分の名前を出したくないのなら違う名前で出してもらってもいいと発言し、最初から気まずい雰囲気が漂う。案の定、開演初日に彼の演技を見て、客はどんどん退室し、彼は一日で解雇される。

すっかり落胆して帰ってくると、今度はテリーに励まされることになる。そして、大声で興奮してカルベロを励ましていたテリーは、無意識に立ち上がって歩き、自分が歩けるまでに回復していることを初めて知る。

ここから、励ます者と励まされる者との役目は逆転し、テリーはまた、バレエの稽古に励むことになる。そして、練習の甲斐があって、ついにその劇場のプリマにまで上りつめる。その過程でテリーは、昔恋焦がれた若い作曲家にも出会うが、彼女はその気持ちを抑えて、カルベロに結婚を申し込む。しかし、カルベロ自身、彼女の気持ちを十分に察しており、このまま同居していては彼女を悩ますだけだと悟り、一人家を出てしまう。

このような映画を見ていると、心が洗われるような気がするが、今やこの種の悲しみに出会うことは少なくなった。「三年B組金八先生」の主題歌の歌詞にある「悲しみが多いほど人にはやさしくなれる」というような悲しみは、昨今ではなかなか見つからない。

現代の若者の悲しみの質は、「ライムライト」の中に流れる悲しみとは違う。それはおそらく現代人の多くが、自分で欲望を抑えた悲しみでなく、自分の欲望が満たされないとすぐに自信を喪失し落ち込んでしまうような悲しみを、しばしば感じているためのように思われる。

仮想的有能感の高い人は、何よりも自分が弱い存在だと思われたくない。例えば、学業成績が悪い、運動競技に負けたという現実があっても、素直に自分の能力や努力の足りなさを認めるというよりは、先生の指導が悪かったとか、競技場のコンディションが悪かったと自分以外の要因に帰し、自己責任を回避するものと考えられる。その限りでは悲しみは生じない。ただ怒るだけである。

あるいは、あんなバカなやつが幸せな生活をおくっているのに、自分のような有能な人間が不幸なのはかわいそうだ、などという「悲しみ」を感じるかもしれない。一方、特に仮想的有能感が低く自尊感情も低い人（萎縮型）は、必要以上に自分の非を認め、落ち込んでしまうかもしれない。しかし、本当の悲しみは、他者軽視することからは生じないのはもちろんのこと、自己卑下からも生じないように思われる。カルベロやテリーの悲しみが美しく感じられるのは、彼らが自己責任感が強いからかもしれない。自己責任を感じるためには、一定程度以上の自尊感情の高さが必要であろう。

泣いてみたいだけ

中原中也の「汚れつちまつた悲しみに……」という詩は、なぜか多くの人を引き付ける。「汚れつちまつた悲しみに　今日も小雪の降りかかる　汚れつちまつた悲しみに　今日も風さへ吹きすぎる」というフレーズである。作者は、本来透き通るような悲しみが、何らかの理由で汚れてしまったことに、ひどく落胆しているように見える。しかし、仮想的有能感の高い人たちに、「汚れつちまつた悲しみ」という感覚はないのではなかろうか。彼らの悲しみには、利己的なご都合主義的原理が働いていると考えられ、それが汚れた情感だなどという意識は、ないにちがいない。

ある会社の送別会で、上司と別れるのがつらいと言って、泣いてくれた若い部下たちに、その後その上司が、「一度会おう」ともちかけたら、「私たち忙しいですから」とそっけなく断られたというような話を新聞か何かで読んだことがある。その場の雰囲気だけで、悲しめる人たちが増えているのかもしれない。悲しみは、汚れただけでなく、薄っぺらになってしまったのだろうか。

香山リカ氏は『若者の法則』（岩波新書）の中で次のように述べている。

「『また泣いちゃったよ』と照れずに語る若者を見ていると、そうやって泣けるような状況に自分がいるということで、何かを確認しているのではないかとも思える。つまり、自分はその他大勢としてぼんやり生きているわけではない、泣けるような特別なできごとを経験しながら生きている、ということだ。逆に言えば、そうでもしなければ自分の日常はあっという間に退屈なものとなり、毎日の記憶も薄れていくのかもしれない。／昔の人間は、生命の危機を回避するためにストレス反応を身につけた。今の若者は、自分喪失の危機から脱出するために〝泣きの反応〟を身につけた。ただ、その傾向は大人にも確実に広がっており、だれもが『泣ける物語』を求めて本を読み、映画を見るようになってきている。『泣かなければ自分が何者かもわからなくなってしまう』という危機感が、世の中全体に広がっているのだろうか」

現代の若者にとって悲しみは、自己を確認するための一種の自己調節の道具として使われているのだろうか。しかし、これが「悲しみ」と言えるだろうか。

多くの若者が本物の悲しみを感じることがないのは、自己や相手としっかり対峙することがなく、仮想的有能感によって自己を防衛しているからではなかろうか。自分の本当の悲しみに向かい合うことが苦痛で、あるいは恐ろしくて、仮想的有能感で先手をうっているのかもしれない。しかし、一方で自分自身の感情細胞が渇いていくことに本能的に危機感を抱いて、自分が傷つかないで涙する場面を無意識的に求めているのかもしれない。

悲しみをエネルギーに

さて、悲しみは動機づけとは無関係に見えるが、必ずしもそうではない。悲しい過去を想起することで、大きな力が湧くこともある。

作家の浅田次郎氏はエッセイの中で自分のことを語っている（日本エッセイスト・クラブ編'02年版ベスト・エッセイ集『象が歩いた』文藝春秋）。生家が没落し、家族は離散、その後母親と兄と三人の六畳一間の暮らしを始めた浅田少年は、私立中学にこだわり、合格したが、母は生活を支えるためにナイトクラブのホステスをしていたという。

「私はおしきせの学問を好まなかったが、常に自からよろこんで学び続けてきた。今も読み書くことに苦痛を覚えたためしはない。その力の源泉はすべて、母があの日、『えらい、えらい』と泣きながら私に買い与えてくれた、三冊の辞書である」「遺された書棚には私のすべての著作に並んで、小さな国語辞典と、ルーペが置かれていた。／あの日から、三冊の辞書を足場にしてひとり歩きを始めた私のあとを、母は小さな辞典とルーペを持って、そっとついてきてくれていた」

おそらく、浅田少年は貧しさの中でホステスをして私立中学に行かせてくれた母親の悲しみを、自分を精進させるエネルギーに転化していたものと思われる。

また、囲碁の趙治勲氏は石川啄木や中原中也の詩が好きで「碁に負けたときなんかね、悲しい詩を読んで涙を流すと、すっきりするんです。逆にしっかりしようとするとよくないですね」と言っている。これは浅田氏の場合とはまた別の意味で、悲しみが動機づけの役割を果たしていることを物語っている。

しかし、仮想的有能感の高い人たちが悲しみによって動機づけられることは想像しがたい。

悲しみの文化の意味

人間の社会生活の中で、悲しみが減少することは、一見、喜ぶべきことに思える。われわれのよりよい生活を追求する営みは、「悲しみ」を世の中から少しでも取り除こうという努力だったかもしれない。

しかし、その代わりに、怒りの感情が容易に増加する時代に突入しているとすれば、単純に喜ぶことはできない。最近の若者が、怒りの感情を簡単に行動化させ、社会問題になっている事実を考えると、むしろ悲しみの文化のよい点をこそ、取り入れるべきではないか、また、悲しみと怒りの量のバランスが崩れることは、一種の危機的状況をもたらすのではないかとさえ考えられる。

概して「悲しみ」は、人間の弱さを象徴する感情であるのに対して、「怒り」は人間の強さを象徴する感情であると言える。人間の弱さを否定する社会は、子どもが成長する過程で悲しみの経験を最小限にしようとするにちがいない。しかし、その結果として、自尊感情の肥大化が進み、弱い人間や傷ついた人間へのやさしさを喪失させていくように思われる。実証的研究はこれからであるが、悲しみをある程度感じた経験のある人の方が共感性という点では優れているのではなかろうか。また、悲しみをある程度蓄積している人の方が感情の統制ができるのではなかろうか。

仮想的有能感の高さと悲しみの感情は本来、逆比例するように思われる。すなわち仮想的有能感が低いほど悲しみを感じやすいように思われる。確かに先の図7－2で社会的事象に対して悲しみを感じる群は仮想的有能感の得点が最も低かった。むろん、ここで言う悲しみは、前に述べたご都合主義的な悲しみではない。

言うまでもなく、悲しみもあまりに強度なものが長期間続いたりすると抑鬱になり、精神的に不健康になることはよく知られており、悲しみの経験を積めば積むほどよいと主張するつもりは毛頭ない。

しかし、物質的に豊かになり、一方で合理的に物事を考える人が増えるだけ、センチメンタリズムは世の中で罵倒《ばとう》され、結果として人の感受性は鈍麻し、潤いのない乾いた人間関係だけが残るようにも思われる。悲しみを、暗いもの、女々しいものとして切り捨てようとする姿勢でなく、悲しみに直面したら、それにしっかり向かい合うように導く教育こそ、今求められていよう。人は涙を流した時、自分の中の悪魔を浄化したような気分になることが少なくない。悲しみを感じることで自分の奥深くにある善人の部分に触れることになるのかもしれない。

心から「喜ぶ」ことができますか

悲しみと喜びは、対《つい》をなしているように思われる。それは両者が正反対で、生活の中に悲しみが少ないだけ喜びが多い、ということではない。むしろ、悲しみを多く感じる人は喜びも多く感じるという意味での対である。第一章で紹介した中学生の感情日誌の報告でも悲しみの量と喜びの量は正の相関関係が見られた。

ところで、喜びには多様なものがある。例えば生徒ならば、テストでよい点数をとったとき、運動競技大会の選手に選ばれたとき、意中の人がバレンタインデーにチョコレートをくれたときなどに喜びを感じるのは自然なことであろう。しかし、その喜びの程度は、その状況にいたるプロセスと深く関わっている。不得意科目で、これまでになかなかよい点数がとれなかったのに、今回は趣味の映画を見る時間も割いて勉強した結果として、よい点数をとった場合と、いつものように適当に勉強しただけなのに、偶然よい点数を得た場合では、喜びの程度が異なると考えられる。

同じように、何度もクラブの担当の先生から大声で怒鳴られたり罰をうけた末に、正選手に選ばれた場合と、何の苦労もなく選手に選ばれた場合の喜びは異なっていよう。さらに、二〇〇五年春に起きたマラッカ海峡での海賊による拉致事件のような場合も、数日後に釈放された喜びは大きい。それは、そこに到るまでどれだけ苦労したか、大げさに言えばどれほど涙を流したのか、悲しんだのかという違いであるようにも思われる。

集団での喜びを感じない人々

さて、このような喜びの感情と仮想的有能感の高低とは、どのように関係するのだろうか。仮想的有能感の高い人が、多くの苦労をしてまで目標達成を目指すとは思われない。彼らは障害に直面すると怒りを爆発させてしまい、失敗を正当化して、別の目標に移行させてしまうことが多いだろう。だとすれば、仮想的有能感は喜びの量も減少させていると予想される。

個人的な達成の中には、他者との相対的比較によって決定されるものも少なくない。先の成績の場合も、得点そのもののよさというよりもクラス内の順位を問題にすれば、相対的比較による成功である。他者を軽視する仮想的有能感の高い人たちにとって、相対的比較によって得られる喜びは、おそらく最も大きなものと言えよう。それは仮想でなく、実質的に他者より有利な立場に立てるからである。

仮想的有能感の高い人にとって、恋敵が存在している状況で自分が恋人として選ばれた場合、ライバルを蹴落《けお》として自分が先発ピッチャーに選ばれた場合などの喜びは、比肩すべきものがない。それは、敗者であるライバルの悲しみを、彼らは感知していないからでもある。これは他人が不幸になった分、自分自身に幸せを感じる、喜びを感じるということを意味する。仮想的有能感の強い人は、幸福定量説のような考え、すなわち、世の中にある一定量の幸福を人々は奪い合うものという観念があろう。よって、自分がそれを多量に奪えば、相手の幸福が少量になるのは当然と見ており、双方で喜びを分け合うという感覚に乏しいだろう。

したがって、彼らは集団での喜びというものを感受しない。クラス全員で文化祭の演劇に取り組み、それが成功裡に終わったとしても、彼らにとっては、あまり喜ばしいことではない。そもそも彼らが準備に、熱心に参加するとは思われない。また、クラブ活動でも、自分が選手として出たいという気持ちは人一倍強いにもかかわらず、集団、チームとしての勝ち負けは二の次である。特に自分の貢献度によって勝ったということであれば別であるが、単にチームとして勝っただけでは大してうれしくもないのである。むろん、負けた場合も、自己責任を感じることがないのであまり悲しくもなく、さらに、自分が直接評価されるわけではない、と感じているので、特に怒りがこみ上げてくるわけでもないだろう。これは第一章で先生たちが最近の子どもたちの感情の特徴について語っていることと一致する。

「笑い」の変質

筆者の子ども時代に比べて、人々が笑う機会が多くなったように思う。それはテレビの影響が大きい。最近はどのテレビ番組でも、視聴者を笑わせようとやっきになっている。私が子どもの頃の昭和三〇年代前半は、テレビなど裕福な家にしかなかったので、映像文化と言えば、たまに小遣いをはたいて町まで映画を見に出かけるか、夏休みに市の教育委員会等が主催する野外での映画を、蚊に刺されながら見ることだった。ただし、昔の映画は笑いの場面よりは悲しみの場面の方が圧倒的に多かった。小学生の頃、田舎の学校から町の映画館まで集団で「喜びも悲しみも幾歳月」の映画鑑賞にでかけ、いたく感動したことを今でも鮮明に覚えている。

さて、最近のテレビでは座談会形式やゲーム形式の番組が多く、そこに登場する司会者たちが巧みに聴衆の笑いを誘うように話を展開させる。また、そこに集まっている人たちも、俳優や歌手といった日頃観客を相手にしている人が多く、笑いをとるツボを心得ていて、司会者の働きかけに、実にうまく対応し、笑いを拡張させる。そのようなやりとりを見ていると、聴衆を意識して笑いを生む公式、技術のようなものを彼らは十分に修得しているように見える。

テレビを見て育った人たちは、いつのまにか観察学習によって、笑いの技法を身につけているのだろう。例えば、女子大生は昔から概して明るかったが、現代の女子大生ほど頻繁に大声で手を叩いたりして笑う場面は少なかったように思われる。それは楽しいことやポジティブ思考がいいこと、ネクラは悪いことといったような価値観の変化によるのかもしれない。個人主義の文化は集団主義の文化より楽しみを求める傾向が強いという説もある。

ただし、気になることがある。それは彼らの笑いには誰かをこき下ろすような笑いが多いことである。漫才師たちは、よく相手や相手の奥さんをけなすような話をして笑いをとるが、その種のことが若者の間でも平然として行われている。「○○ってバッカじゃないの。○○の授業に出るなんて、アッハハハ」といった最近の女子大生が手を叩いて笑う声が聞こえてくる。

仮想的有能感を抱く人たちが、相手をけなすことで笑いを生じさせるのは十分予想できる。彼らにとって相手を軽視することが喜びであり、冷たい笑いを求めている。

昭和三〇年代、四〇年代の笑いには、もっと穏やかなものが多かった。夢路いとし氏（二〇〇三年秋他界）と喜味こいし氏の漫才コンビの笑いはその典型だったような気がする。彼らの笑いには品のよさが感じられた。それは現在の漫才師の多くが、頭を叩いたり、どついたりして、相手をコケにして大げさなジェスチャーで笑わせようとするのとは対照的に、静かな感じで展開する会話の中に、ほのぼのとした温かみのある笑いが息づいていたからであろう。

彼らの代表作に「交通巡査」という漫才がある。「名前は?」「いま、ゆうぞ」「早いこと言わんかい」「いま、ゆうぞー」「ずっと名前言えんか」「そやから、さっきから今井勇蔵と言うてます」（「今井勇蔵」という漢字が彼らの創作したものと等しいかどうかは不明）。

このようなほのぼのとした笑いは、何度聞いても飽きないものがある。しかし、このような話は、現代の若者にはまどろっこしくて、全然面白くないのではなかろうか。彼らはもっと強い刺激的な笑いを求めている。

「ユーモア」の源泉

ところで、笑いには相手を見ての笑いだけでなく、自分の姿を見つめての笑いもある。

自分の情けなさや無力さ、あるいは、いたらなさを冷静に見つめることによってホロリと笑ってしまう、言うなれば悲しみ型の笑いというものもある。おそらく、仮想的有能感の高い人たちは、このような笑いを感じることがない。自分を笑うことができないのである。それは自分をゆっくり外側から冷静に見つめるだけの余裕がないことを物語っており、さらに、自分が傷つくことを極度に恐れているためでもある。

「ユーモアの源泉は哀愁である」というマーク・トウェインの言葉があるが、本当のユーモアは、周りを下に見て笑うのでなく、自分の人間としてのいたらなさ、不十分さといった、本来悲しみの源泉となるようなものを、少し距離をおいて他人の立場で眺められるようになったときに、生じるものではなかろうか。

このところ、若手のお笑い芸人で名をあげている一人に「ヒロシ」という人がいる。彼の話は、いつも「ヒロシです」という言葉で始まり、沈痛な面持ち、固定した姿勢で、自分の一種の悲しみを脈絡なく次々と語っていく独特のものである。

あるとき、テレビで視聴したのは、正確ではないが次のような話だった。「ヒロシです。誰でもいいから彼氏がほしいと言っていた人から振られました」「ヒロシです。コンビニの女性が、自分の手に触れないように、おつりを渡してくれました」

この芸人の自虐的独演が、今受けるのはなぜだろう。ヒロシがバカになりきって自分の悲しさや情けなさを語ってくれるので、聞いている人たちが、自然に仮想的有能感を抱きやすいためかもしれない。自分の目の前の人間が自ら自分を貶《おとし》めてくれるので、聞き手は優越感を感じ、一時的にせよ、有能さを感じることができるために、面白がるのではあるまいか。あるいは他者を蹴落とすことで生じる笑いばかりに慣れた現代人が、自虐的な話に潜在的には一種の共感を覚えるためかもしれない。

上野行良《ゆきなが》氏によれば、ユーモアは三種類にわけられるという。第一は何かを攻撃するための「攻撃的ユーモア」。それは風刺、ブラック・ユーモア、皮肉、からかい、自虐などが相当する。第二は陽気な雰囲気や気分をつくって楽しむための「遊戯的ユーモア」。これはだじゃれなどの言葉遊び、ありふれた日常のエピソード、ドタバタなどが該当する。さらに第三は励ましたり、許したり、心を落ち着けるための「支援的ユーモア」である。人をなぐさめるために、自分の失敗を面白おかしく語ったり、気がめいるようなときでもユーモアで自分を励ましたりするような場合である（詫摩武俊・鈴木乙史・清水弘司・松井豊編『性格と対人関係』ブレーン出版）。おそらく仮想的有能感の高い若者たちは「攻撃的ユーモア」を発することが多く、「支援的ユーモア」は少ないのではなかろうか。

熱くなれない理由

これまで、仮想的有能感の高まりが、現代人、特に若者たちの感情の持ち方に変化をもたらしているのではないか、という観点で述べてきたが、前に述べたように、動機づけ、意欲、やる気といったものの変化も、仮想的有能感と不可分な関係にあるように思われる。

日本人は「努力信仰」を持つということが、しばしば語られてきた。しかし、現代の若者たちは、昔の人たちのように、努力を重視しているとは考えがたい。努力には、どうしても「忍耐」や「我慢」が伴うが、彼ら自身はむしろ、忍耐や我慢をして努力する姿を冷笑するようになったことは確かであろう。現代の若者たちは熱くなれないのだ。忍耐や我慢は、彼らからすれば「かっこ悪いもの」の代表格なのである。

かといって、彼らは望ましい結果や勝利を望んでいないわけではない。努力なくしてすばらしい結果を手にすることが、最も「かっこいい」と考えている。

仮想的有能感を持つ人が、通常の意味での達成動機づけの高い人とは思われない。彼らは人前では自分はできるはずであることを示そうとする。そして成功した場合には、自分はほとんど努力しなかったのに、結構いい線いっていると吹聴する。しかし、失敗した場合は、「急に家庭で大事故がおこった」「体の調子が悪くなった」「そもそも意味のないテストなので勉強しなかった」というように、さまざまな口実をあげつらう。努力は諸刃の剣であり、それによって目標を達成させることも可能だが、努力をつぎ込んだのに失敗した場合は、努力しない場合よりも深く傷つくことになる。現代の若者たちは後者の場合をひどく恐れているように見える。

仮想的有能感の高い人たちは他人の失敗を簡単にバカにするが、それは自分自身が苦労して物事に取り組んだ経験が乏しいためであるように思われる。自分自身が努力した経験を持つならば、他人の失敗に対しても、もう少し寛容になれるのではなかろうか。他者軽視―仮想的有能感―努力軽視―努力経験の乏しさ―失敗―他者軽視は、悪循環しているのではなかろうか。すなわち、他者軽視をとおして仮想的有能感を感じると、努力を軽視して実際に努力しないために失敗する、そして、自分の失敗を認めたくないために、先手をうって他者をバカにするという連鎖である。

仮想的有能感の高い人は、概して周りと望ましい人間関係が形成されておらず、他者に対しても共感的でない。人の動機づけをどのように捉えるかは諸説があるが、生まれつきのものだけでなく、後天的に形成される部分が大きいという見方は、多くの研究者に支持されるところであろう。

例えば、先生や友人に受容され、親密な人間関係が存在すると、最初はいわば、強制的にやらされていたことも（外的動機づけ）、あの先生の言うことなら、先生に悲しい思いをさせないためにならがんばろう（取り入れ的動機づけ）と考えたり、勉強することは重要だから取り組もう（同一化的動機づけ）というように、動機づけの質が発達していくことが考えられる。

しかし、初めから他者軽視している人にとっては、このように他者との相互作用の影響で動機づけの質が進化することは、期待できない。

一方、課題そのものの性質の面白さや楽しさに対しては、認知的側面の問題であり、彼らも対応できる。例えば、先生が子どもに興味を引き起こすような課題を提示すれば、仮想的有能感の高い人たちも知的好奇心が喚起され、動機づけられる。すなわち内発的動機づけを喚起させることはできる。

つまり、先生が直接、子どもに密な接触をすることで動機づけるというよりも、巧妙な教材を工夫することで動機づけようとするならば、仮想的有能感の高い生徒も十分動機づけられることになる。だが、そのような生徒は、いつしか「課題が面白くなければ勉強しない」といった高慢な気持ちも抱くようになると懸念される。すなわち、彼らは社会との相互作用の中で形成された、発達した自律的動機づけを持たないので、好きなことだけはするが、自分にとって嫌いな教科などには、目もくれないようになると考えられる。

日本の教育学者や教育心理学者がこれまで盛んに推奨してきた動機づけとは、端的に言えば「楽しく勉強させること」であった。子どもたちが勉強しないのは、私たちが楽しく勉強をさせてあげる力がないからだと自罰的に言う立派な先生まで現れる始末である。勉強が、子どもの内側から生じるやる気、いわゆる内発的動機づけに支えられることがよいという主張に異論はない。しかし、学習はそれだけでは進まない、ということもまた真実である。楽しく勉強することが善、苦しんで勉強することが悪という教育そのものが、実は仮想的有能感の形成を助長してきたのかもしれない。

二一世紀社会への警鐘としての仮想的有能感

最近、国内ではバトルが盛んである。日本のマスメディアを代表するNHK対朝日新聞、さらには楽天対TBSと、今後もこのような企業間の対立はますます激化していくように思われる。企業間の対立ばかりではない。セクハラ訴訟での対立、離婚問題での対立など個人間の対立もエスカレートしている。これらの当事者の行動に共通に存在するのは、自分の落ち度に向かい合う前に、相手の落ち度を鋭く指摘することである。自分の非をつかれる前に相手の非をつくこと、これが個人主義社会を生き抜く知恵なのかもしれない。しかし、この知恵は罪作りな知恵である。

「仮想的有能感」という概念の提唱は、来るべき社会への警鐘としての意味を持つ。年代比較のところで論じたように、仮想的有能感そのものは、若者だけでなく、すべての年齢層に広がっている。しかし、自尊感情が低いのに仮想的有能感の高い、いわゆる仮想型という有能感タイプは、明らかに若い人ほど多い。これがどの世代でも繰り返される発達的、暦年齢的な差異なのか、いわゆる文化差に基づく世代差なのかは、現在のところ不明であるが、言うまでもなく、われわれは世代差的なものが強いと考えている。そして、仮想型の有能感を持つ人たちが、我が国において今後増大すると予想される。

一方、年輩層も問題がないわけではない。自尊感情も仮想的有能感も高い全能型の占める割合が現在の時点で多いのである。自分を過信して他者を見下す五〇代、六〇代は確かに少なくない。

いずれにせよ今後予想される社会は、個々ばらばらの社会である。誰もが競争に勝ち抜くために、先手をうつかたちで、周りの相手を軽蔑したり軽視したりするのである。それは人間同士の温かみが伝わらない冷え切った社会である。学校でも会社でも、人は自分の幸せだけに関心を持ち、みんなで支えあう農耕社会的な要素をすっかり忘れてしまうだろう。

現在、多くの人たちが、この厳しい世の中で自分だけが犠牲者で、ストレスを多分に受けていると思い込んでいる。家族ですらも母は娘に、「あなたがまじめに勉強しないから、私はストレスがたまって食事も十分にできない」と嘆く。娘は娘で「お母さんがあまりうるさいからストレスがきつくて下痢が続き、勉強どころでない」と言ってキレる。上司は、いたらない部下のせいで、自分がこんなにストレスに苦しめられていると思っており、部下は、上司がもう少しましだったら、俺たちの仕事のストレスは半減すると考えている。

ストレスという言葉が広まってから、ほとんどの人は、自分が他者にストレスを与えたなどとは考えず、自分だけがストレスを被っていると考えるようになった。これらもおそらく、人々が心の深層に仮想的有能感を抱いているためであるように思われる。

個人主義の文化差

仮想的有能感が歴史的産物だとしたら、それは文化的産物でもある。これまで比較文化的研究はしていないが、個人主義が浸透した国々と、集団主義志向がまだ強い国では、仮想的有能感の程度にかなり相違があるだろう。しかし、日本人はアメリカやイギリス等の代表的な個人主義の西欧諸国の人々と、仮想的有能感の高さでは大差ないのかもしれない。日本の方が西洋より個人主義的になったと感じられる面が少なくないからである。

だが、本当に仮想的有能感の強弱は個人主義、集団主義というものとパラレルなのであろうか。個人主義というのは他者を軽視することで、集団主義とは自己を卑下することなのであろうか。おそらく、幾分の重なりはあるにせよ、まったく同義ということはないであろう。自主独立的であるために、他者軽視することが必然ではないし、相互依存的であるために自己卑下することは必然ではない。

仮想的有能感が蔓延する未来社会がよいはずはない。われわれはこのような現実を把握して、足をひっぱりあうだけで協同できない社会がいかに効率が悪く、生産性に乏しいか、そして何よりもいかに心理的に潤いがなく、心理的に疲労するかをよく考えるべきである。

仮想的有能感からの脱出

では、仮想的有能感を断ち切るには、どうすればよいのであろうか。それはきわめてむずかしい課題である。世の中の体制がこのまま続く以上、それを食い止めることは困難と言えるかもしれない。しかし、仮想的有能感を持つ人の増大は、大げさに言えば、乾ききった情動生活を招来し、温かな人間関係の崩壊や、人間の生き生きした意欲の喪失を、意味するように思われる。

何よりも一人一人が、まず、危機的な状況にあることを意識する必要がある。協調性の乏しい社会は、葛藤の多い社会でもある。今後、何十億という人間が地球上で暮らしていかねばならないことは必然であるので、相互に最大に幸せな人生をおくるにはどうすればよいかを真剣に考えねばならない。

しかし、絶望することはない。人間は賢い動物である。これからの時代、人間そのものをどう育てていくのかという知恵を出し合って、危機を乗り越えていくだろう。

私自身には妙案はないが、子どもの教育という視点から、仮想的有能感から脱出するための三つの提案をして、本書を締め括ることにする。

しつけの回復

それはまず第一に、本当の意味でのしつけの回復である。

現代の子どもたちは、あまりに小さい頃から、親から独自性を求められてきた。「ピアノを習わせ、将来はピアニストにしたい」「フィギュアスケートの選手にしたい」「英語が流暢《りゅうちょう》に話せる国際人にしたい」等々、子どもが物心つかないうちから、親は子どもをユニークな目立つ人物に仕立てようと画策する。それはそれでよいことだが、子どもの独自性ばかりを求めて、普通の大人になるために必要な行動・態度を身につけさせる社会化のための訓練を忘れてしまっているように思われる。電車の中で子どもが大声でわめいていても注意一つしない親、他人のものを壊したのが自分の子どもだとわかっていても謝罪させようとしない親、そんな親がとみに増加している。

人間は個性化も大切だが、それより前に社会化が必要であろう。社会で共存して生きていくために誰にも必要なことが習得されていなくては、まず人間というものの共通の概念が明確にならない。大げさに言えば、社会化がなされなければ、生きていくために、何がよいことで何が悪いことかの基準が形成されないことになる。社会化が重ねられることで、社会生活をするうえでの自分を評価するための妥当な基準も成立する。

幼児期から個性化が強調されると、たしかに一種の自尊感情が形成されるかもしれないが、それは、周囲からの一般的な承認をえない、柔らかでぶよぶよした傷つきやすい自尊感情にすぎない。子どもたちが社会化するために大人がしっかりとしつけをすることが、仮想的有能感を抑制する。

自尊感情を強化する

第二に、自尊感情を強化することである。

本書で見てきたとおり、自尊感情と仮想的有能感は、測定上はまったく独立で無関係ということになるが、それは横断面として見た場合のことである。発達的、縦断的に見るならば、それらは無関係というわけではない。先に挙げた傷つきやすい自尊感情から、たくましい自尊感情に変化させることこそが、仮想的有能感を抑制することになろう。そして、特に自尊感情の低い「仮想型」に問題があると考えられ、彼らが自尊感情を高めるような指導が必要になる。

そのために、子どもたちに達成感や自己効力感を持たせるような環境を設定することが考えられる。今の子どもたちに、大人から課せられる役割は、実はあまりに小さい。もっと子どもに一定の役割を与え、それを遂行させるという経験が必要であろう。

また、研究で明らかになったように、若者の中には仮想的有能感も自尊感情も持たない「萎縮型」が予想外に多い。「萎縮型」にとって自尊感情を高めることは最重要課題と言える。

不登校などの増加の中で、自分は必要のない人間だなどと考えて、リストカットを繰り返す子どもも少なくない。彼らにとって自分が誰かに役立っている、何らかの役割を果たしているという感覚こそ必要である。親が子どもに小さい頃から、勉強だけをしておればよい、と告げるのでなく、むしろ、積極的に家の仕事を分担させることが望ましい。食事の後かたづけであれ、風呂の掃除であれ、どんな小さなことでも、毎日繰り返して行うようなことで、役割を遂行する習慣をつけることが大切である。

そこから自分の存在の意義が見出せるし、日常生活が、家族の人たちのいくつもの仕事によって支えられていることを認識できる。学校でも同じことで、掃除当番、給食当番だけでなく、日常的に果たすべき役割を明確にして、それをいい加減にせず、小さい頃からしっかり実行させていくことが望まれる。それゆえ、ここで主張したい自尊感情の高め方は、先に挙げた個性を伸ばすかたちで行うようなものでなく、あくまで他の人に役立っているというようなかたちで行うものである。

さて、「仮想型」の人が、自尊感情を高めると理論上は「全能型」への移行ということになるが、個人的成功だけによって高められた自尊感情でなく、集団生活の中での貢献度によって高められた自尊感情は、他者を軽視するというよりは、他者を尊重する態度を形成するものと思われる。したがって、「自尊型」に変化させていける可能性がある。本当の自尊感情とは他者も尊重するといった他尊感情も含んだものが理想であろう。

感情を交流できる場を!

第三に、多くの人たちに直接触れ、実際に自由にコミュニケーションできる場を増やすことである。

現在は家族が一緒になって食事をすることが減り、子どもも家に帰ると個室にこもってしまい、両親ともあまり口を利かないという現実がある。多くの子どもたちが、テレビなどで多くの他人の姿は見ていても、直接触れ合うことで具体的に他人を知る場は、きわめて少ない。したがって、感情を直接交流できる機会を意図的に多く設定する必要がある。

効率を優先する社会では、子どもたちに、何をどのくらい知っているかという類の質問は多く浴びせるが、子どもがどんな気持ちなのか、何に悩んでいるのかなどに関して時間をかけて話すことは少なくなっている。自分の心の中にあるいやなこと苦しいことにも対峙するという姿勢は、家庭での温かなコミュニケーションから生じると考えられる。それが乏しいと、いやな事態に直面し、すぐに仮想的有能感を働かせてしまうようになるのである。

家族だけでなく、学校でも社会でも、皆で喜び悲しむという体験が基本であるように思われる。相互に個人間の本当の感情を交流できる場が現在あまりに少ないことが問題である。

週休二日制になり、学校では授業数が削減されただけでなく、学校行事も大幅に削減されたという現実がある。しかし、子どもの頃から、集団で力を合わせるような行事をたびたび実施して、相互の「熱い心」に触れ合う機会を持たない限り、大きくなってから、それを実施しようとしても無理があろう。

人間相互の感情のぬくもり、人間間の体温そのものが、いやなことについてすぐに吐き出すようなかたちで怒るのでなく、しっかりと心の奥で悲しみとして受けとめることができる源泉である。そして、その体温は何よりも生きる意欲に繋がるのである。

おわりに

若者の物の見方や感じ方、行動の仕方に私自身が疑問を感じるようになって久しい。それは一言で言えば、他人をまったく無視したような言動である。しかし、それは当初、先の世代の者が後の世代の者に、昔からしばしば感じてきた違和感の一つのようにも思えた。ちょうどその頃、作家五木寛之氏の随筆に何度も書かれている「今、人間は感情が涸《か》れていると思う」というような指摘に強い共感を覚えた。そして前者の他者軽視の傾向と後者の感情のあり方がどこかで繫がっているように感じ始めた。

この仮説というよりは一種の私自身の思い込みを、心理学という土俵の上で縦糸と横糸として織り込んで、できるだけ誰もが納得のいく形にして人間理解に繫げたいというのが本書を書くきっかけである。

仮想的有能感という言葉は、私の自分自身も対象に含めた人々についての日常的な人間ウォッチングの結果として生じたものに過ぎない。そこで、これがまったく独りよがりの話か否かを検証すべく、研修や講演会の講師をした折に、また大学の授業などでも、本書に書いたようなことの一部を勝手に話させていただいた。

反響は意外に大きなものであった。聞いてくださった方から逆に「あなたが話しているようなことの具体的事例としてこんなこともある」と教えていただいた。実は本書に含まれている事例には、そのようにして私の話を聞いてくださった方々からいただいたものも少なくない。名前は省略させていただくが、このような方々のご協力には深く感謝申し上げたい。

ここで示した見方は、まだ心理学界で十分に認められたものとは言えない。実証的研究は二、三年前から私の研究室のグループが始めたばかりである。今後、地道な心理学的研究を蓄積する必要があると感じている。しかし、研究途上とはいえ、一定の実証的研究なくしては本書を完成させることはできなかった。先行研究のないやや無謀な試みであるにもかかわらず、私とともに歩んでくれた研究室の若い人たちの協力が本書の出版を後押ししてくれた。最後にこの本の編集を担当していただいた講談社の岡本浩睦氏にも厚くお礼申し上げる。

二〇〇六年一月

速水敏彦

講談社現代新書　1827

他人《たにん》を見《み》下《くだ》す若者《わかもの》たち

二〇〇六年二月二〇日第一刷発行

著者　速水《はやみず》敏彦《としひこ》　

発行者　野間佐和子

発行所　株式会社講談社

東京都文京区音羽二丁目一二—二一　郵便番号一一二—八〇〇一

電話　出版部　〇三—五三九五—三五二一

販売部　〇三—五三九五—五八一七

業務部　〇三—五三九五—三六一五

装幀者　中島英樹

印刷所　凸版印刷株式会社

製本所　株式会社大進堂

定価はカバーに表示してあります　Printed in Japan

N.D.C.371　214p　18cm
ISBN4-06-149827-4

「講談社現代新書」の刊行にあたって

教養は万人が身をもって養い創造すべきものであって、一部の専門家の占有物として、ただ一方的に人々の手もとに配布され伝達されうるものではありません。

しかし、不幸にしてわが国の現状では、教養の重要な養いとなるべき書物は、ほとんど講壇からの天下りや単なる解説に終始し、知識技術を真剣に希求する青少年・学生・一般民衆の根本的な疑問や興味は、けっして十分に答えられ、解きほぐされ、手引きされることがありません。万人の内奥から発した真正の教養への芽ばえが、こうして放置され、むなしく滅びさる運命にゆだねられているのです。

このことは、中・高校だけで教育をおわる人々の成長をはばんでいるだけでなく、大学に進んだり、インテリと目されたりする人々の精神力の健康さえもむしばみ、わが国の文化の実質をまことに脆弱なものにしています。単なる博識以上の根強い思索力・判断力、および確かな技術にささえられた教養を必要とする日本の将来にとって、これは真剣に憂慮されなければならない事態であるといわなければなりません。

わたしたちの「講談社現代新書」は、この事態の克服を意図して計画されたものです。これによってわたしたちは、講壇からの天下りでもなく、単なる解説書でもない、もっぱら万人の魂に生ずる初発的かつ根本的な問題をとらえ、掘り起こし、手引きし、しかも最新の知識への展望を万人に確立させる書物を、新しく世の中に送り出したいと念願しています。

わたしたちは、創業以来民衆を対象とする啓蒙の仕事に専心してきた講談社にとって、これこそもっともふさわしい課題であり、伝統ある出版社としての義務でもあると考えているのです。

一九六四年四月　野間省一

哲学・思想Ⅰ

66 哲学のすすめ――岩崎武雄
159 弁証法はどういう科学か 三浦つとむ
225 現代哲学事典――山崎正一 市川浩 編
501 ニーチェとの対話――西尾幹二
871 言葉と無意識――丸山圭三郎
881 うそとパラドックス 内井惣七
898 はじめての構造主義―橋爪大三郎
916 哲学入門一歩前――廣松渉
921 現代思想を読む事典 今村仁司 編
977 哲学の歴史――新田義弘
989 ミシェル・フーコー―内田隆三
1001 今こそマルクスを読み返す――廣松渉
1286 哲学の謎――野矢茂樹
1293 「時間」を哲学する―中島義道
1301 〈子ども〉のための哲学 永井均
1315 じぶん・この不思議な存在―鷲田清一
1325 デカルト＝哲学のすすめ―小泉義之
1357 新しいヘーゲル――長谷川宏
1383 カントの人間学――中島義道
1401 これがニーチェだ――永井均
1406 哲学の最前線――冨田恭彦
1420 無限論の教室――野矢茂樹
1466 ゲーデルの哲学―高橋昌一郎
1504 ドゥルーズの哲学―小泉義之
1525 考える脳・考えない脳―信原幸弘
1575 動物化するポストモダン―東浩紀
1582 ロボットの心――柴田正良
1600 ハイデガー＝存在神秘の哲学――古東哲明
1635 これが現象学だ――谷徹
1638 時間は実在するか 入不二基義
1651 私はどうして私なのか 大庭健
1675 ウィトゲンシュタインはこう考えた―鬼界彰夫
1745 私・今・そして神――永井均
1758 観念論ってなに？―冨田恭彦
1783 スピノザの世界――上野修
1788 カーニヴァル化する社会―鈴木謙介
1792 自我の哲学史――酒井潔

哲学・思想Ⅱ

政治・社会

日本史

心理・精神医学

知的生活のヒント

L

趣味・芸術・スポーツ

676 酒の話——小泉武夫
863 はじめてのジャズ——内藤遊人
874 はじめてのクラシック 黒田恭一
1025 J・S・バッハ——礒山雅
1287 写真美術館へようこそ——飯沢耕太郎
1320 新版・クラシックの名曲・名盤——宇野功芳
1371 天才になる！——荒木経惟
1381 スポーツ名勝負物語 二宮清純
1404 踏みはずす美術史——森村泰昌
1422 演劇入門——平田オリザ
1454 スポーツとは何か——玉木正之
1460 投球論——川口和久
1490 マイルス・デイヴィス——中山康樹
1499 音楽のヨーロッパ史 上尾信也
1506 バレエの魔力——鈴木晶
1510 最強のプロ野球論——二宮清純
1548 新ジャズの名演・名盤——後藤雅洋
1569 日本一周 ローカル線温泉旅——嵐山光三郎
1630 スポーツを「視る」技術 二宮清純
1633 人形作家——四谷シモン
1653 これがビートルズだ 中山康樹
1657 最強の競馬論——森秀行
1661 表現の現場——田窪恭治
1710 日本全国ローカル線おいしい旅——嵐山光三郎
1720 ニッポン発見記——池内紀
1723 演技と演出——平田オリザ
1727 日本全国 離島を旅する 向一陽
1730 サッカーの国際政治学 小倉純二
1731 作曲家の発想術——青島広志
1735 運動神経の科学——小林寛道
1757 最強の駒落ち——先崎学
1765 科学する麻雀——とつげき東北
1796 和田の130キロ台はなぜ打ちにくいか——佐野真
1808 ジャズの名盤入門——中山康樹

日本語・日本文化